ALBERTO SÁNCHEZ ÁLVAREZ-INSÚA

De Heidegger a Sartre

LECTURAS

Serie **Teoría literaria**

ESTE ENSAYO HA SIDO REALIZADO EN EL MARCO DEL PROYECTO «MEMORIA CULTURAL E IDENTIDADES FRONTERIZAS: ENTRE LA CONSTRUCCIÓN NARRATIVA Y EL GIRO ICÓNICO», FFI 2008-05054-C02-01/FISO, FINANCIADO POR EL MINISTERIO DE CIENCIA E INNOVACIÓN

© ALBERTO SÁNCHEZ ÁLVAREZ-INSÚA, 2009

© ABADA EDITORES, S.L., 2009
Calle del Gobernador, 18
28014 Madrid
Tel.: 914 296 882
fax: 914 297 507
www.abadaeditores.com

diseño ESTUDIO JOAQUÍN GALLEGO

producción GUADALUPE GISBERT

ISBN 978-84-96775-51-0
depósito legal M-22130-2009

preimpresión ESCAROLA LECZINSKA
impresión LAVEL

ALBERTO SÁNCHEZ ÁLVAREZ-INSÚA

De Heidegger a Sartre

«APÓLOGOS» DE MARTÍN-SANTOS:
UNA LECTURA EXISTENCIAL

MADRID 2009

A B A D A EDITORES

LECTURAS DE TEORÍA LITERARIA

ABREVIATURAS

Para la redacción de este ensayo se ha utilizado la edición de los siguientes textos:

MARTÍN-SANTOS, Luis, *Apólogos y otras prosas inéditas*, edición y prólogo de Salvador Clotas, Barcelona, Seix Barral (Biblioteca Breve), 1970. ⇨ **(AP)**

—, *Libertad, temporalidad y transferencia en el psicoanélisis existencial. Para una fenomenología de la cura psicoanalítica*, Prólogo de Carlos Castilla del Pino, Barcelona, Seix Barral (Biblioteca Breve de Bolsillo), 2ª ed.1975. ⇨ **(LTT)**

—, *Tiempo de silencio*, Barcelona, Seix Barral, 2ª ed. 1964. ⇨ **(TS)**

—, *Tiempo de silencio*, edición definitiva, Barcelona, Seix Barral, 44ª ed. 1998.

—, *Tiempo de destrucción*, edición crítica de José-Carlos Mainer, Barcelona, Seix Barral, 1975. ⇨ **(TD)**

HEIDEGGER, Martin, *El ser y el tiempo*, trad. de José Gaos, México, Fondo de Cultura Económica, 2ª ed. 1962 [1ª ed. alemana: *Sein und Zeit*, Halle: *Jahrbuch für Philosophie und phänomenologische Forschung*, vol. VIII, 1927 (SZ).

SARTRE, Jean Paul, *L'être et le néant*, París, Gallimard, 1943, 36ª ed. 1950. ⇨ **(EN)**

—, *Critique de la raison dialectique*, París, Gallimard, 1960 [ed. esp.: *Crítica de la razón dialéctica*, trad. de Lamana, Buenos Aires, Losada, 1963]. ⇨ **(CRD)**

El resto de los artículos y monografías se dan como citas.

Para la citación de los distintos textos que componen APÓLOGOS (AP) se ha utilizado un sistema mixto de abreviaturas y numeración. Así, aquellos textos que aparecen en APÓLOGOS (AP) pero no pueden ser considerados bajo dicha denominación se citan mediante abreviaturas de sus títulos, mientras que los apólogos en sentido estricto aparecen numerados del 1 al 37. En esta numeración se incluyen los denominados «Apólogos largos» (nos 33-37).

INTRODUCCIÓN

Tras la inesperada desaparición de Luis Martín-Santos (Vitoria, 21 de enero de 1964), tres de sus manuscritos inéditos verían la luz en años sucesivos. En 1964, *Libertad, temporalidad y transferencia en el psicoanálisis existencial. Para una fenomenología de la cura psicoanalítica* con un prólogo excelente de Carlos Castilla del Pino, redactado en febrero de ese mismo año. Dicha edición incluía un listado de publicaciones de Martín-Santos de carácter psiquiátrico a las que sólo muy someramente habremos de referirnos. En 1970, verían la luz *Apólogos y Otras prosas inéditas* editados y prologados por Salvador Clotas, cuyo estudio e interpretación son objeto de este estudio. Finalmente, en 1975, apareció la edición crítica, a cargo de José-Carlos Mainer de *Tiempo de destrucción*.

En el período que va desde la publicación de *Tiempo de silencio*, en 1962, hasta la fecha, las obras de Martín-Santos han merecido un estudio muy desigual. Es importante señalar que salvo en publicaciones de tipo inespecífico: estudios de carácter general de la novelística española en la que Martín-Santos aparece incluido, su obra no ha sido tratada de forma integral, sino con referencia, en cada caso, a uno solo de sus textos. Esa lectura totalizadora es, a nuestro juicio, muy deseable, y debería complementarse con dos de sus trabajos de carácter filosófico y psiquiátrico que, siempre a nuestro juicio, dan un sentido nuevo a toda la narrativa de Martín-Santos, a su propio proyecto personal, como hombre y como escritor, y a su forma de entender su actividad profesional como psiquiatra. El primero de ellos es *Libertad, temporalidad y transferencia* (LTT) que define el pensamiento último de Martín-Santos, tanto en los aspectos profesionales, su concepción de la cura psiquiátrica de las neurosis, como en los ideológicos y vivenciales. En LTT concluye el largo camino iniciado por Martín-Santos en 1950 con la publicación de *El psicoanálisis existencial de J.P. Sartre*[1]. La fecha de publicación es muy ilustrativa, pues revela una superación de las influencias filosóficas iniciales de Martín-Santos. Tan sólo han pasado siete años de la publicación de *El ser y la nada* (EN) (1943) y tres de la lectura de la tesis doctoral de nuestro autor, que se publicaría ocho años más tarde[2]. Hay ya una notable distancia entre ambas obras. Si el primer trabajo teórico de Martín-Santos conjuga historicismo e existencialismo —*versus* Jaspers—, en 1950 dos nuevas influencias irrumpen con gran fuerza: el existencialismo sartreano y el psicoanálisis freudiano —cuya recepción por Martín-Santos fue tardía—. Esta doble conjugación ilustrará toda su obra posterior de carácter teórico[3, 4, 5], que concluirá en 1957. Este dato

1   Luis Martín-Santos, *El psicoanálisis existencial de J.P.Sartre*, Actas Lusoespañolas de Neurología y Psiquiatría, IX, 3 (agosto, 1950).

2   Luis Martín-Santos, *Dilthey, Jaspers y la comprensión del enfermo mental*, Madrid, Paz Montalvo, 1955.

3   Luis Martín-Santos, «Fundamentos teóricos del conocer psiquiátrico», *Theoria III* 9 (octubre, 1955).

es igualmente ilustrativo: Martín-Santos pone todo su esfuerzo al servicio de su obra narrativa y de su labor teórica: *Libertad, temporalidad y transferencia* (LTT) y los ensayos contenidos en *Apólogos* y, muy en especial, el denominado *La Psiquiatría existencial*. El único artículo que publica posteriormente, en 1961, tiene un carácter doble, teórico-práctico[6]. Este ensayo ya citado, *La Psiquiatría existencial* es el segundo de los trabajos fundamentales para interpretar su narrativa. No es que los otros reseñados carezcan de importancia, pero si bien son fundamentales para entender su evolución profesional, resultan a nuestro juicio innecesarios para el análisis de su obra narrativa, por la razón ya apuntada: el pensamiento del autor había ya evolucionado cuando da comienzo su proceso de creación literaria. Tan sólo los dos apuntados son de indudable interés y de inexcusable aplicación. Algo similar ocurre con las obras filosóficas que van a lo largo del tiempo configurando su pensar filosófico y existencial.

INFLUENCIAS Y CONCEPCIÓN DE LA FILOSOFÍA EN MARTÍN-SANTOS

Los jóvenes universitarios españoles que en los años 50 al 70 aparecían deslumbrados por el existencialismo y por la figura de Jean Paul Sartre creían, probablemente con toda razón,

---

4   Luis Martín-Santos, «Jaspers y Freud», *Revista de Psiquiatría y Psicología Médica*, II 7 (1956).

5   Luis Martín-Santos, *La psiquiatría experimental. I Parte general. Bases guoseológicas de la psiquiatría experimental. II Parte especial.* Salamanca, V Congreso Nacional de Neuropsiquiatría, 1957.

6   Luis Martín-Santos, « Descripción fenomenológica y análisis existencial de algunas psicosis epilépticas agudas», *Revista de Psiquiatría y Psicología Médica*, V 1 (1961).

que Martín-Santos era de los pocos españoles que habían
leído *El ser y la nada*. Efectivamente entre Martín-Santos y Sartre, existió no sólo la relación lector-autor, sino también
una vinculación personal desarrollada a lo largo de una serie
de entrevistas. En este sentido, el conocimiento de la obra
sartreana de Martín-Santos era casi total: «Además de sus
obras doctrinales, las descripciones monográficas logradas
por Sartre de la peculiaridad existencial de los individuos
concretos (llámense Genet, Baudelaire o Flaubert) son de
gran valor iluminador para todo el que pretenda acercarse al
psicoanálisis existencial» (LTT, p. 37). Volveremos a interе-
sarnos sobre la importancia de la cita anterior, pero baste
decir ahora que en consonancia con la misma, el conjunto de
la obra sartreana es fundamental para la comprensión de la
narrativa de Martín-Santos[7]. No obstante, en este trabajo nos
hemos limitado a dos fundamentales: *El ser y la nada* y *Crítica de la
razón dialéctica*. Por idénticas razones de simplicidad conceptual
y expositiva hemos prescindido de otras obras y autores cuya
influencia es conocida o evidente: Dilthey (*Psicología y Teoría del
conocimiento*), Jaspers (*Psicopatología general*), Husserl (*Ideas relativas
a una fenomenología pura y una filosofía fenomenológica*) y Beauvoir (*Para
una moral de la ambigüedad*). Únicamente la obra de Martin Heidegger y, en concreto, *Ser y tiempo* (SZ) recabará nuestra atención. Esta última, junto con las dos citadas de Sartre, definen el pensamiento y la obra de Martín-Santos. Es obvio que
deberíamos también incluir toda la obra de Sigmund Freud,
pero de nuevo incurriríamos en un perfeccionismo excesivo,
pues aunque la lectura que vamos a realizar de *Apólogos* (AP)

---

7   En especial: *El existencialismo es un humanismo, La trascendencia del ego, La imaginación, Lo imaginario, Bosquejo de una teoría de las emociones, Las palabras ¿Qué es la literatura?, Huis Clos, La náusea*, los volúmenes de *Situations* (en especial el III),
El muro y *Los caminos de la libertad*.

será a la luz del psicoanálisis y la filosofía existencial, ambos aspectos aparecen perfectamente resumidos en las dos obras de Martín-Santos, repetidamente aludidas.

Así, en *Libertad, temporalidad y transferencia* (LTT) asistimos a la síntesis de la interrogación sartreana sobre el ser y su doble categorización: el *ser en-sí*, el ser de las cosas, de los fenómenos, la *res extensa*; y el *ser para-sí*, la conciencia humana, el ser en que aparecen los fenómenos. Este planteamiento ontológico aparece ya en las primeras páginas de *El ser y la nada*[8]. Pero, y aquí viene lo importante de la obra, la personalidad y el pensamiento de Martín-Santos: no estamos en presencia de una búsqueda óntico-ontológica de carácter teórico: la reflexión busca su aplicación inmediata en tres frentes: en la cura psiquiátrica, en la creación literaria y en la vida; en el proyecto personal del propio Martín-Santos.

Esa concepción dual del ser remite de forma inmediata al concepto de libertad: «El ser "en-sí", que es el ser de las cosas, aparece como plenitud de forma y de sustancia, de estabilidad y de coherencia. Por el contrario, el ser "para-sí" está afectado por la nada, que es tanto como decir por la libertad...» «...mediante la libertad, el ser del hombre está constantemente siendo aniquilado. Aniquilado, naturalmente, en lo que tiene de ser "en-sí". Nunca el hombre puede descansar plenamente en la necesidad. El hombre se está siempre construyendo a sí mismo; constantemente inventando su propio ser. Una absoluta necesidad (como ocurrirá en el caso de una psicosis totalmente demencial) ocasionará la destrucción del hombre como ser "para-sí"» (LTT, p. 38).

---

8   «L'être transphénoménal de ce qui est *pour la conscience* est lui-même *en soi*» (p. 29). «Le pour-soi est l'être qui se détermine lui-même à exister en tant qu'il ne peut pas coïncider avec lui-même» (p. 121).

La libertad como nihilización de la conciencia, como aniquilación, como nada, responde plenamente al pensamiento sartreano. Para Sartre, «no hay naturaleza humana porque no hay Dios para concebirla»[9]. La conciencia está vacia. «El hombre es libre, el hombre es libertad»[10]. Para Martín-Santos, ese vacío, esa libertad, en el hombre neurótico —que es tanto como decir cualquier hombre que vive en una sociedad neurotizante— es la conclusión *sine qua non* de su cura, del alumbramiento de un hombre con proyecto, de un hombre nuevo, de un hombre trascendente: «Más allá de su neurosis, convertido de esclavo de su destino en inventor de su proyecto, el hombre deviene un ser trascendente» (LTT, p. 247). Con esta frase concluye *Libertad, temporalidad y transferencia* (LTT), obra que no podemos analizar en su totalidad, habida cuenta que nuestros propósitos son otros. Pero sí resulta necesario para nuestro posterior análisis extraer de la misma algunos conceptos. Así. «La libertad es condición fundamental del ser del hombre y, al mismo tiempo, fuente de su angustia. El hombre se angustia ante lo que podrá llegar a ser por la acción de la libertad, o ante lo que podrá llegar a dejar de ser» (LTT, p. 38); la angustia y el miedo a la libertad vienen producidos por la *nostalgia del "en-sí"*: también, la *mala fe*: «La mala fe es un fenómeno derivado de la nostalgia del "en-sí"» (LTT, p. 39). El hombre —de *mala fe*— busca la estabilidad de la apariencia, es decir, *pretende ser lo que* realmente *no es.* Sustituye su esencia —la libertad— por alguna de sus facticidades en el autoengaño y predica de sí mismo: yo soy médico, yo soy investigador (Pedro en *Tiempo de silencio*), yo

9   J. P. Sartre, *El existencialismo es un humanismo*, Buenos Aires, Sur, 1963 (el texto corresponde a la conferencia de Sartre en el «Club Maintenant» en 1945, editada en París, Nayel, 1946, p. 16).
10 *Ibid.*, p. 21.

soy juez (Agustín en *Tiempo de destrucción*). Es dentro de ese contexto de nihilización del ser de la conciencia, de su nadificación, que el propio título de su obra póstuma inacabada adquiere un claro sentido: *Tiempo de destrucción* describe una doble opción: renunciar a la facticidad confortable del «ensí», a la neurosis personal y social en la que el hombre está instalado y asumir desde la libertad el pasado, en un proceso esclarecedor, y proyectar un futuro en libertad (es decir, curarse) o, por el contrario, precipitarse en una disfunción psíquica aún más grave: una psicosis profunda. La conciencia quedará destruida y la cosificación no sólo alcanzará al propio sujeto sino que afectará a su relación con el(los) otro(s). El hombre «cosa» será incapaz de descubrir el «tú». Es cierto que el precio de la libertad puede ser la muerte[11], pero será una muerte no temida, porque el hombre nuevo surgido de la «cura» no sólo ha superado los terrores primitivos (el terror cósmico) y los terrores del otro; ha superado también el terror trágico que «se produce ante la consideración de la nihilización humana, de su *ser-para-la-muerte* inexorable» (LTT, p. 244). Tanto en la cura como en el proceso normal de su madurez, el hombre supera el terror trágico: «El individuo acepta su destino y se compromete con él, aunque en rigor el origen de su persona —y con él de su destino— no haya dependido de su libertad. El individuo procede como si él hubiera inventado su destino. Haciéndolo así, se compromete con la totalidad de la historia de la

---

11 De nuevo un concepto sartreano: «Jamás fuimos tan libres como bajo la ocupación alemana como nos perseguían, cada uno de nuestros ademanes tenía el peso de un compromiso... la elección de cada uno hacia sí mismo era auténtica puesto que la realizaba en presencia de la muerte». J. P. Sartre, *La república del silencio* (*Situations III*), Buenos Aires, Losada, 1960.

que forma parte y acepta jugar a fondo su papel personal»
(LTT, p. 245). Queda claro que la libertad así obtenida no
reniega de la realidad fáctica de cada hombre. No es la
«libertad interior» del intelectual encerrado en una torre
de marfil. La conciencia aspira a trascender su propia libertad. No podría ser de otra forma ya que «todo hombre existe
"en situación". La situación de cada hombre es el conjunto
de sus facticidades corpóreas o mentales, sociales o económi-
cas, gratuitas o insoslayables» (LTT, p. 40). Pero la más
importante de dichas facticidades es el propio pasado: «Una
facticidad de rigurosa pertenencia personal y de decisiva
importancia es el *pasado*» (LTT, p. 41). Pero, aunque el
pasado sea inmodificable, no es determinante. El hombre
tiene, eso sí, que asumirlo. Tiene que *hacerse cargo* de su
pasado y optar entre dos opciones: *elegir* (crear) un proyecto
futuro o *consentir, seguir consintiendo*: «... Sigo consintiendo, sin
plena conciencia de mi decisión, en vivir determinado por
las líneas de fuerza del pretérito» (LTT, p. 42).

Hemos hablado de elegir (crear) un proyecto futuro. Este
es, precisamente, el camino, el único camino de la libertad:
«Dentro del tejido de la libertad que es la vida humana, el
único asidero sólido es precisamente el proyecto. *Un hombre es
lo que sea su proyecto*». (LTT, p. 43). Pero conviene aclarar los
contenidos del *proyecto*. El uso degradado de la libertad lleva
al neurótico —que es tanto como decir al inmaduro— a posturas edípicas infantiles: «El neurótico tendería a identificar
su proyecto con una imagen del "en-sí" antiguo. La imagen
del "en-sí" neurótico brota de las coaguladas alienaciones de
la infancia. El neurótico petrifica su proyecto en torno a la
pseudorealización, o más bien conservación repetitiva del
niño inocente o del niño víctima del destino o de atemori-
zado impotente ante ominosas fuerzas superiores» (LTT,
pp. 43-44). Este planteamiento se inscribe en el análisis de

Erich Fromm[12], con respecto a los contenidos no incestuosos del complejo de Edipo. El miedo a la libertad retrotrae al seno materno en busca de protección y el asesinato del padre asocia la autoafirmación al miedo producido por el complejo de castración. Ni que decir tiene que estos planteamientos son justamente los que explican la personalidad de Pedro, el protagonista de *Tiempo de silencio*.

Pero, nada más lejos de los planteamientos de Martín-Santos que una apología de las conductas y proyectos de aquellos que se plantean la vida como un camino hacia una meta bien definida: «Quien resume su intento concreto en ser jefe de empresa, presidente del Estado, millonario o cualquier otra caracterización, por rica y fecunda que pueda ser, expresa en esta concreción cosista una rigidificación del carácter» (LTT, p. 44). Una vez más, insistir que el proyecto no debe yugular la libertad.

Finalizaremos esta primera parte de nuestro análisis con el estudio de Martín-Santos de las relaciones intersubjetivas. «En el interior del universo en que se ve obligado a existir, el individuo tropieza, por una parte con *cosas* y, por otra, con *otros*. Las cosas son realidades fáctico-inertes de fascinante estabilidad. Las cosas pueden ser manejadas instrumentalmente... El hombre vive contento entre sus cosas: manejándolas, designándolas, utilizándolas, contemplándolas, gozando estéticamente de ellas» (LTT, p. 44). «Las cosas son dóciles a su elección y se organizan coherentemente en el mundo lleno de significaciones parciales que cristalizan en torno al proyecto esencial» (LTT, p. 45).

Pero esta situación idílica y confortable se ve bruscamente alterada, subvertida por la aparición del *otro*. «En este

---

12 E. Fromm, *Miedo a la libertad*, Buenos Aires, Paidós, 1957.

mundo así estructurado irrumpe el *otro*» (LTT, p. 45). Sí
para Sartre la gratuidad de la existencia, la superabundancia
obscena de las cosas, de la *res extensa*, del conjunto de el(los)
en-sí, entre los que obligatoriamente hay que incluir el propio cuerpo: «la diversidad de las cosas, su individualidad
sólo eran una apariencia, un barniz. Ese barniz se había fun-
dido, quedaban masas monstruosas y blandas, en desorden,
desnudas, con una desnudez espantosa y obscena»[13], provo-
can el vértigo y la náusea, la presencia del *otro*, su aparición es
mil veces más turbadora. La náusea y el vértigo son el producto de la toma de conciencia, del *para-sí* (valga la redun-
dancia), del absurdo de su existencia, del *estar de más*: «Todo
lo que existe nace sin razón, se prolonga por debilidad y
muere por casualidad»[14]. Y *yo* —flojo, lánguido, obsceno,
dirigiendo, removiendo melancólicos pensamientos—, *también
yo estaba de más*... yo estaba de más para toda la eternidad»[15]; la
presencia del *otro*, fiscalizadora, indomeñable es la mayor de
las torturas: el infierno: «*L'enfer, c'est les Autres*»[16].

En Martín-Santos la tensión se rebaja, pierde su dimensión de tragedia óntico-ontológica y se vive como un terror
superable en la evolución normal del individuo hacia formas
de vida adulta. O, alternativamente, mediante la cura psicoanalítica existencial. No se trata solamente de aceptar al *otro*,
sino de entrar en comunión con él, de crear un espacio
intersubjetivo de amor y solidaridad.

Tras la irrupción del *otro*, tiene lugar el descubrimiento de
otra de las características del ser del hombre: «Ha surgido

---

13   J.P. Sartre, *La náusea*, México, Diana, 1949, pp. 188-189.
14   *Ibid.*, p. 197.
15   *Ibid.*, p. 190.
16   J.P. Sartre, *Huis clos suivi de les Monches*, París, Gallimard, Le Livre de
     Poche, 1996, p. 75.

algo, una nueva realidad, que no se deja someter a la naturaleza de instrumento. El hombre intuye esta situación nueva en el fenómeno de la mirada. El otro es el objeto que no sólo es mirado, sino que mira. La mirada descubre un nuevo foco de origen de la libertad... El existente, al ser mirado, descubre su propio *ser-para-el-otro*. Este ser para el otro se vive como vergüenza. En la mirada del otro se descubre un reducto de libertad inasequible, una conciencia en la cual yo también soy vivido» (LTT, p. 45).

Entre temor y vergüenza y tortura e infierno media un abismo; sobre todo cuando estamos ante una situación superable que, obligatoriamente, hay que superar: «...La permanencia de la angustia ante el otro es rasgo de neurosis. Cuando la angustia ante el otro es la única forma de relación con él, estamos ya atravesando la frontera de la psicosis. La mirada aparece entonces como exclusivamente angustiante y amenazadora y nunca como portadora de amor. En esta mirada alcanza expresión sintética al mundo alienado del paranoico» (LTT, pp. 45-46).

Esta superación conoce una doble vía: el amor y la reflexión comprensiva. Esta segunda es, lógicamente, la que se alcanza en la cura psicoanalítica. Pero si la angustia ante el otro no logra vencerse aparecen dos formas de conducta peculiares aparentemente antitéticas pero, en el fondo, coincidentes, presentes de forma más o menos evidente en todo neurótico: sadismo y masoquismo, ambas persiguiendo el mismo fin: «*unificar en un único proyecto y en un único foco de libertad el mundo dual de los existentes enfrentados*» (LTT, p. 46).

Una última consideración. El conflicto intersubjetivo, el enfrentamiento entre dos libertades lleva, en la relación social, al «ocultamiento» de la libertad. La sociedad nos obliga a recubrirnos con una máscara y la hipocresía nos aconseja —ya que no mirar es imposible— ocultar la mirada, disimular, caminar con la cabeza baja aparentando que no miramos (juzgamos) a los *otros*. La vieja máxima evangélica, «no juzgues y no serás juzgado» hizo seguramente las delicias de la autora de *El existencialismo y la sabiduría popular*[17]. Para Martín-Santos, la mirada se disfraza con una máscara sonriente: «En la vida social ordinaria, el individuo aparece como sonriente máscara de respuestas prefabricadas. Mediante una técnica antiansiosa, los existentes se ocultan recíprocamente su libertad. Se renuncia a toda palabra o a todo gesto original o extraño. Cada cual riza el gesto y dice las palabras que se esperan de él. La mirada puede pasar desapercibida» (LTT, pp. 46-47).

Podemos, a nuestro juicio, detenernos aquí. Lo que antecede —salvo algunas frases del final de la obra— pertenece a la Introducción de *Libertad, temporalidad y transferencia* que resume las concepciones existenciales de Martín-Santos. Los cuatro capítulos del libro, más orientados hacia la cura psicoanalítica pueden, pese a su gran interés obviarse. Pero lo apuntado puede dar una interpretación nueva a la narrativa de Martín-Santos como ya apuntaron en su momento José Schaibman[18][19] y Jo Labanyi[20] al reclamar una lectura de Martín-Santos «a la luz» de LTT, obra que, pese a su publicación póstuma, P.J. Gorrochategui data en 1959[21]. Se trata

17 S. de Beauvoir, *El existencialismo y la sabiduría popular*, Buenos Aires, Siglo XX, 1969.
18 José Schraibman, «'Tiempo de silencio' y la cura psiquiátrica de un pueblo: España», *Insula*, 1977 (365): 3-3.
19 José Schraibman, «Un par de charlas sobre 'Tiempo de silencio'», *Hispanofila*, 1978 (62): 109-120.
20 Jo Labanyi, *Ironía e historia en «Tiempo de silencio»*, Madrid, Taurus, 1985.
21 Pedro Jesús Gorrochategui, *Bibliografía del doctor Luis Martín-Santos* (tesis doctoral, 1990), Servicio Editorial de la Universidad del País Vasco, 1994.

pues de unos planteamientos anteriores o, cuando menos simultáneos, al inicio de la andadura literaria de Martín-Santos.

Una segunda —aunque mejor sería por razones históricas decir primera— influencia filosófica creemos necesario comentar: la de Martin Heidegger; pero como la misma aparece claramente identificada en uno de los textos de *Apólogos*, preferimos analizarla al realizar un estudio pormenorizado de los diferentes ensayos y relatos que componen el libro.

LA EDICIÓN DE «APÓLOGOS»

Cuando a finales de los sesenta los herederos de Martín-Santos ponen en manos de Salvador Clotas el conjunto de inéditos que habrían de componer *Apólogos* no lo hacen desde una perspectiva académica sino en el marco de unas relaciones personales que mucho tenían que ver con la militancia política de ambos[22].

Hay que señalar, sin ánimo de censura, que la labor de Clotas no fue ni totalizadora[23], ni excesivamente brillante. Así, la edición adolece de falta de datación. Los relatos que dan título al conjunto no la llevan en ningún caso. Tampoco los otros dos textos literarios: *Elea o el mar* y el prólogo de

---

22 Ambos eran militantes de la ASU (PSOE). Martín-Santos perteneció a la Comisión Ejecutiva, cargo del que dimitió en 1960. Fue detenido en cuatro ocasiones y, en la segunda de ella, «conoció los bajos de la Dirección General de Seguridad (tan bien descrita en las páginas 167 y 55 de *Tiempo de silencio*) y la cárcel de Carabanchel. En unas oposiciones a cátedra en las que participó su buen amigo Castilla del Pino, al estar detenido, asistió acompañado de la fuerza pública.

23 Existen otros inéditos impublicados que P. J. Gorrochategui reseña en su tesis doctoral y a los que habremos de referirnos.

Tiempo de destrucción. El único que aparece datado es el último de los ensayos: *Dialéctica, totalización y concienciación* (San Sebastián, 4-3-62) pero, tras la lectura del prólogo, uno duda que la fecha sea correcta pues hay una discordancia con una de las aseveraciones del prologuista: «El texto titulado *La psiquiatría existencial*, «probablemente de 1960»... A continuación se sitúa el artículo titulado *Dialéctica, totalización y concienciación*, «fechado cuatro años más tarde que el anterior»[24]. Hay que señalar que, en modo alguno, estamos en presencia de una edición anotada[25]. Clotas se limitó a poner un texto tras otro sin definir ningún criterio justificativo de tal agrupación y cometiendo algunos errores de trascripción[26].

Una incongruencia es, a nuestro juicio, la inclusión del prólogo de *Tiempo de destrucción.* Lo lógico hubiera sido reservarlo para la edición crítica de la novela, aunque resulta igualmente sorprendente que no fuera reproducido de nuevo en dicha edición.

Tampoco el prólogo es esclarecedor y abunda en planteamientos reiteradamente expuestos. La referencia a Max Brod

24 *Apólogos*, pp. 17-18. Los entrecomillados son nuestros. De las dos aseveraciones nos inclinamos a creer que la fecha de *Dialéctica...* es correcta y que *La psiquiatría existencial* fue redactado en 1960, un año después que *Libertad, temporalidad y transferencia* (1959). «Cuatro años más tarde» (de 1960) nos sitúa en 1964. Martín-Santos muere el 21 de enero. El dato es pues de imposible aceptación.

25 Las cuatro únicas anotaciones corresponden a Martín-Santos la 1 y 2 de la página 113, siendo achacables a Clotas la 3 de esa misma página y la única de la página 147. En ambas se señala lo ilegible del texto sin aportar solución alguna. La última, página 147, es un «patinazo» de Clotas que no entiende una locución latina: amor *fati* (del latín *fatum-fati*, sino, hado, destino).

26 El más notable aparece en la página 108: «Hay hoy en día, una filosofía existencialista y una literatura existencialista. Tiene su interés e incita a la meditación el que también haya una psiquiatría que merezca el mismo ¡¡¡objetivo!!! La apostilla es nuestra. Debería ser *adjetivo*.

es tan sólo el pretexto para reiterar en la ya conocida –pero no abordada con rigor– influencia de Kafka en Martín-Santos. Max Brod «traicionó», en aras de la literatura y del derecho de los lectores, la voluntad del autor (por lo cual hemos de estarle profundamente agradecidos); pero Martín-Santos no tuvo, que sepamos, reticencias a la publicación de su obra, salvo aquella que consideró menos interesante o estaba en vías de tratamiento, es decir, inconclusa. Hombre de una mentalidad rigurosa y cartesiana, con una cierta tendencia al perfeccionismo, no debía estar dispuesto, tras el éxito de *Tiempo de silencio*, a publicar cualquier cosa, máxime cuando su obsesión era no ser el autor de «una única novela».

Esto nos lleva a interrogarnos sobre un aspecto: ¿habría publicado Martín-Santos, las narraciones que componen *Apólogos* de haber seguido vivo? La respuesta no es sencilla y se inscribe en el ámbito de las conjeturas. *Apólogos* son, sin duda alguna, un ejercicio ideológico y literario de bastante más calidad de la que se ha venido predicando. Pero constituyen una rareza dentro de nuestra literatura. El relato ultracorto (VSS, *very short stories*) es práctica anglosajona inhabitual en nuestros predios y muy ligada a la literatura de géneros (fantástico, terror, ciencia-ficción, etc). Es lógico que Martín-Santos prefiriera concentrar sus esfuerzos y «preparar el terreno» con una nueva novela antes de permitirse una excentricidad literaria. Tampoco nos caben muchas dudas de que algunos textos de carácter más o menos coloquial o «para andar por casa», escritos para ser comunicados oralmente; como de hecho lo fueron y que ya describiremos en su momento, no estaban destinados a la imprenta. Tal es el caso de *El complejo de Ramuncho* y *Dialéctica, totalización y concienciación*. Tampoco el poemita en prosa, *Elea o el mar* de tan evidentes resonancias freudianas, habría, probablemente, recibido el *imprimatur* de su autor que no estaba precisamente satisfecho con su librito de poemas «*Grana gris*», recientemente reeditado[27] al que consideraba un pecado de juventud[28].

Pedro Jesús Gorrochategui Gorrochategui en su tesis doctoral tan reiteradamente citada realizó una ingente labor de búsqueda de testimonios de personas vinculadas a Luis Martín-Santos. En lo referente a *Apólogos* trata el tema en dos ocasiones. La primera en el apartado nº 8: *Luis Martín-Santos escritor. Biografía literaria*[29]. La segunda lleva por título *Publicaciones literarias de Luis Martín-Santos*[30].

En la *Biografía literaria*, Gorrochategui aporta el importante testimonio de Josefa Rezola[31] «Los apólogos, los cuentos, yo los cogí y se los mandé a Carlos Barral. Salvador Clotas, al editarlos, los mezcló todos, sin separar los más antiguos de los más recientes. El apólogo titulado «Condenada belleza del mundo», que recientemente se ha publicado[32], no sé por qué no se publicó antes, ya que estaba con todos los demás y, aunque no era el último escrito por Luis, sí era de los últimos que escribió».

---

27   Luis Martín-Santos, *Grana gris*, Madrid, Biblioteca Nueva, 2002.
28   P. J. Gorrochategui, *op. cit.*, p. 539. La publicación de *Grana y Gris* fue un regalo que su padre hizo a Martín-Santos en su fin de carrera. Si creemos a Carlos Castilla del Pino, cuando el autor encontraba un ejemplar lo compraba para quemarlo.
29   El apartado nº 8 comprende las páginas 338-621. La parte dedicada a *Apólogos* son sólo dos páginas, 578-579 (8-4).
30   Pp. 622-704. *Apólogos* es, nuevamente, el apartado 9-4 (pp. 679-688).
31   Dicho testimonio aparece, en su totalidad, en las pp. 963-965 (Apéndice nº 37). En lo referente a Apólogos, se cita en la p. 579. Josefa Rezola iba a casarse con Martín-Santos cuando sobrevino su muerte.
32   La llamada es nuestra. *Condenada belleza del mundo*, el apólogo que falta en la edición de Clotas, se publicó en *El Urogallo* (2ª época), nº 1 (mayo 1986), pp. 33-40.

Condenada belleza del mundo, el apólogo que falta, sí tiene fecha: 1963. Fue concebido con ocasión del rodaje de la película de Antton Eceiza, *El próximo otoño*, al que Luis Martín-Santos asistió, cuando ya era viudo, en el citado año[33]. Es, probablemente, el último texto literario finalizado por su autor. Ese mismo año, la revista *Triunfo* premia y publica el primero de los *Apólogos* «largos»: *Tauromaquia*[34].

Por otra parte, y aunque ya lo comentaremos en su momento, el «apólogo» no literario *El complejo de Ramuncho entre los vascos* fue expuesto en una sesión de la «Academia Errante» en abril de 1963[35]. Existen dudas de si realmente se trata de un texto de Martín-Santos.

Estos datos sitúan, a nuestro juicio, la redacción de *Apólogos* entre *Tiempo de silencio* y *Tiempo de destrucción*, simultaneando su escritura con la de su próxima novela, es decir, entre 1961 y 1963. Aclaremos que al hablar de *Apólogos* nos referimos a las piezas breves así denominadas por su autor, no al resto de los textos incluidos en la edición y que Salvador Clotas denomina «otras prosas inéditas».

Luis Martín-Santos fue un escritor de pluma fácil y rápida. Si tomamos como ejemplo *Tiempo de silencio* y a la luz de los testimonios que aporta el trabajo de Gorrochategui, su primera novela fue redactada en un breve espacio de tiempo, probablemente, de forma acelerada para poder concurrir al Premio Pío Baroja que, finalmente, no obtuvo y cuyo plazo

---

33 P. J. Gorrochategui, *op. cit.* Antton Eceiza, testimonio personal. Apéndice nº 43, pp. 970-973.
34 «Tauromaquia», *Triunfo* (6 abril 1963), Madrid.
35 Varios autores, *Grabaciones de la «Academia Errante»*. «Vidas paralelas». Hernani, en abril de 1963. El trabajo fue expuesto por José Mª Busca Isusi, no estando Martín-Santos presente. P. J. Gorrochategui, *op. cit.*, p. 1019 (Apéndice nº 86).

se cerraba el 28 de febrero de 1961. Una vez más, Gorrochategui aporta una enorme cantidad de datos sobre el escándalo que supuso declarar el premio desierto y las presiones
políticas que llevaron a dicho resultado, así como el amiguismo de los jurados madrileños, Juan Fernández Figueroa
y Miguel Pérez Ferrero a favor de la novela presentada por
Carlos Luis Álvarez, *Cándido*, titulada *Gusanos de luz*, muy en el
estilo de *Luz de domingo*, de Ramón Pérez de Ayala. *Tiempo de
silencio* se presentó con el título «Tiempo frustrado» de don
Luis Sepúlveda, de San Sebastián y fue eliminada de forma
más o menos ilegal en las últimas votaciones[36].

Pero lo que ahora nos ocupa fue el tiempo empleado en
su redacción. Una vez más, los datos son muy indicativos.
Aunque Félix Maraña dice que *Tiempo de silencio* fue redactado
«entre 1950 y 1960»[37], no parece lógica tal afirmación. Jo
Labanyi afirma, por el contrario, que «Martín-Santos escribió la novela muy rápidamente, posiblemente en un mes»[38].
De la misma manera se manifiesta Enrique Múgica Herzog:
«Mi ejemplar de «Tiempo de silencio» tiene como dedica-

36 P. J. Gorrochategui, *op. cit.*, pp. 541-567. Las presiones políticas se
    centraron en que la convocatoria del premio era un montaje del Partido Comunista de España y que no se podía premiar una novela de un
    destacado miembro del PCE. Esta afirmación era absurda, pues Martín-Santos, que había sido detenido ya en tres ocasiones: 1956, 1958 y
    1959 y lo sería una vez más en agosto de 1962. En todas ellas quedó
    clara la pertenencia de Martín-Santos al PSOE. No así su hermano
    Leandro y su amigo Enrique Múgica que militó, inicialmente, en el
    PCE. Rocío Laffon Bayo, esposa de Martín-Santos era al igual que él,
    militante del PSOE. (Sobre la personalidad y actividad política de Luis
    Martín-Santos, vid. P. J. Gorrochategui, *op. cit.*, pp. 705-811).

37 Félix Maraña, *Martín-Santos, Luis*, Diccionario Enciclopédico Vasco
    Auñamendi, San Sebastián, 1979-1996.

38 J. Labanyi, *Ironía e historia en «Tiempo de silencio»*, Madrid, Taurus, 1985,
    p. 95. (Labanyi basa su afirmación en un testimonio de Carlos Castilla
    del Pino).

toria «Para Enrique Múgica, como reconocimiento a su real copaternidad». Esto tiene una explicación. Cada vez que Luis terminaba un capítulo de su novela, me invitaba a cenar con él en su villa del Alto de Eguía y a comentarlo juntos. Era tal su riqueza intelectual, que cada capítulo le salía de una tacada, como un vahído y entre los tecleados por primera vez en su máquina de escribir y los que se publicaron en su libro, las diferencias son mínimas»[39]. Hay también indicios de que fue ultimada cuando se produjo la convocatoria del premio «Pío Baroja» (noviembre de 1960). Escuchemos de nuevo el relato de las circunstancias del premio que hace Gorrochategui: «Curiosamente, tan pronto como al noticia saltó a los periódicos, Luis Martín-Santos dejó de aparecer por la tertulia a la que solía asistir con Bellido y Nabal en el Café Mónaco, ya que Luis Martín-Santos tenía la novela casi acabada y pensaba presentarla»[40].

Situándonos en los inicios de 1961 no hay indicación alguna que *Apólogos* —refiriéndonos siempre a los propiamente dichos— se redactaran antes que *Tiempo de silencio*. José Ortega indica, citando un testimonio de Ricardo Domenech, que Luis Martín-Santos no quería publicar «unas narraciones llamadas «Apólogos» antes de otra novela que planeaba»[41], refiriéndose, naturalmente, a *Tiempo de destrucción*. Un nuevo aspecto importante se deduce del artículo de José Ortega: Martín-Santos planeaba publicar *Apólogos* como una obra única o, lo que es lo mismo, no se planteaba los relatos

---

39 E. Múgica Herzog, *Itinerario hacia la libertad*, Barcelona, Plaza Janés, 1986, p. 163. Cfr. también P. J. Gorrochategui, *op. cit.*, p. 909 (Apéndice n° 4).

40 P. J. Gorrochategui, *op. cit.*, p. 548.

41 S. Ortega, «Realismo dialéctico de Martín-Santos en Tiempo de Silencio», *Revista de Estudios Hispánicos*, University of Alabama Press, vol. 3, n. 1 (abril 1969), p. 33.

como estructuras independientes —como lo son sus homó-
logos de Kafka— sino como un conjunto inseparable. Este
aspecto no fue bien entendido por Clotas en su prólogo a la
edición. Por el contrario, la valoración que hace Alfonso
Vilariño es mucho más acertada. «El hombre y la vida con
todos sus misterios, constituyen el tema de estas narraciones
breves. Su autor necesita captar el sentido de la realidad
total y para ello la fragmenta en retazos de prosa que congela
por un breve instante para ser sometidos al examen lógico
de su bisturí. Inútil es buscar el sentido individual de cada
fragmento de prosa. algunos son inescrutables y solo contemplándolos a la luz del conjunto vemos su función. Para
llegar a penetrarlos hemos de desandar el proceso de su
autor: hay que reintegrar las piezas del rompecabezas para
vislumbrar esa visión rebosante de pesimismo, cínica y
desengañada, de finales oscuros y sarcásticos. Martín-Santos
intenta llegar al fondo de una realidad caótica y absurda con
la luminosidad del apólogo, pero la sombra triunfa. En
nuestros oídos resuena el eco de la invisible carcajada bur-
lona del autor que, queriendo hallar un orden al caos, nos
anima a abandonar toda esperanza de conseguirlo»[42].

Sólo parcialmente estamos de acuerdo con la valoración
de Vilariño y, concretamente, en el aspecto ya señalado: la
lectura fragmentaria de *Apólogos* los vacía de sentido; sólo a la
luz de su conjunto cabe la interpretación. Es más, el hecho
de que el último apólogo —que Clotas no supo reconocer
como tal y desgajó del conjunto— pueda dotarse a finales de
1963 indica bien a las claras que, al igual que *Tiempo de destruc-*
ción, Apólogos es una obra inacabada. En lo que diferimos es en

---

42 A. Vilariño, «Luis Martín-Santos y la realidad fragmentaria de sus
    Apólogos breves», *Duchesne Hispania Review*, vol. X, nº 2 (1971), pp. 58-
    61.

«esa visión rebosante de pesimismo, cínica y desengañada» en la «pérdida de toda esperanza». Al igual que en Sartre, sólo una lectura superficial dará como el resultado el pesimismo como valoración. Para Sartre, el hombre era una pasión inútil —pero sólo ontológicamente hablando, en la medida en que se agota en una síntesis imposible que habría de convertirse en Dios, el en-sí-para-sí, la conciencia hecha sustancia, la sustancia hecha *causa-sui*, el mirante que no puede ser mirado, el cosificador absoluto— pero es una pasión inútil en libertad, una nada que hay que llenar con un proyecto, una esencia que es necesariamente posterior a la existencia, porque, precisamente, la ausencia de Dios hace imposible concebirla previamente. Y esta libertad del hombre es su miseria y su grandeza, la meta de su realización humana. Sartre concluye su famosa conferencia con una aseveración rotunda: «...el existencialismo es un optimismo, una doctrina de acción, y sólo por mala fe, confundiendo su desesperación con la nuestra, pueden los cristianos llamarnos desesperados»[43]. El hombre para Sartre, tomando una frase de Ponge «debe ser el porvenir del hombre». También para Martín-Santos que, reducido al cinismo sería un autor, hay que decirlo claramente, de una pedantería deshumanizada insoportable. Es más, Martín-Santos es aún más optimista que Sartre. Cree como psiquiatra en la cura del neurótico al asumir este su libertad y construir su proyecto. En idéntica medida, y como hombre de izquierda, confía en la humanidad. Cree posible una cura desneurotizante de la sociedad apoyada en un proyecto humanista que tenga como base la solidaridad. Martín-Santos ironiza, y lo hace cruelmente, sobre aquello que a nivel individual y social es falso y

---

43 J. P. Sartre, *El existencialismo es un humanismo*, p. 44.

abyecto: la cobardía, el autoengaño, la mala fe, la imposibilidad de relación con el otro, la cosificación de los demás. Pero volvamos a los juicios que los *Apólogos* merecieron. Esperanza G. Saludes dice: «Individualmente analizados estos escritos no tienen mucho valor. Es a la luz del conjunto, contemplándolos como una unidad formada de muchas piezas que se puede llegar a interpretarlos. Si Martín-Santos intentó encontrar en la sencillez y claridad del apólogo original una fórmula para llegar al fondo de la realidad caótica y absurda de la vida, el resultado no fue tan satisfactorio. El misterio prevalece y el lenguaje sencillo engaña al lector. El sentido es oscuro y difícil de descifrar. El autor viene a comprobar que cuando se trata de analizar la vida, lo que se encuentra es una serie de desconcertantes incoherencias.

Dentro de los artículos, en el titulado: «El complejo de Ramuncho entre los vascos», aparece más clara la veta irónica y satírica del autor. El relato es un estudio sobre la religiosidad de los vascos y la hipocresía de ese comportamiento»[44].

El juicio es bastante exacto, pero ¿acaso Luis Martín-Santos no pretendía, precisamente, poner de manifiesto «desconcertantes incoherencias» del comportamiento humano?

En una de las recensiones de *Apólogos*, John Crispin escribía: «El apólogo es un curioso género. Hay unas claras características kafkianas en la ambigüedad y en la composición de las historias. El tono a menudo recuerda la ironía desatada de algunas fantasías de J.L. Borges. Uno de los

---

44   E. G. Saludes, *La narrativa de Luis Martín-Santos a la luz de la Psicología*, Miami, Ediciones Universal, 1981, pp. 58-61.

ensayos. «El complejo de Ramuncho», se inserta en la psicología del pueblo vasco; los otros dos son tratados psicoanalíticos, altamente técnicos, que no tienen un lugar adecuado en este volumen»[45].

Desde luego que tanto *La Psiquiatría existencial* como *Dialéctica, totalización y concienciación* no debieron publicarse conjuntamente con los Apólogos, pero lo mismo podría decirse de *El complejo de Ramuncho entre los vascos*, por más que el texto sea menos arduo para un profano. Lo aventurado es decir que «se inserta en la psicología del pueblo vasco». Es más, Martín-Santos *les dijo a los vascos que ellos adolecían del «complejo de Ramuncho»*, pero en modo alguno dijo que lo «padecieran» en exclusiva. Sabía, perfectamente, que la inautenticidad es universal. Volveremos sobre el tema y sobre la pretendida influencia borgiana, borgesiana o borgiástica en *Apólogos*. Pero antes cerremos la valoración merecida por el conjunto de «relatos» (esta vez Clotas estuvo mucho más acertado al elegir la denominación). La recensión que de ellos hizo el suplemento literario del *Times* no fue precisamente encomiástica: «Los apólogos consisten en varios textos breves, junto con dos ensayos técnicos psicológicos. La mayoría son cortos, de unas tres o cuatrocientas palabras y recuerdan la prosa y poesía de Baudelaire en su crueldad y sarcasmo. Tratan destructivamente los temas de la mujer, el amor, la amistad, la tribulación del artista, y refuerza una impresión dejada por «Tiempo de silencio», de que la inspiración de su autor es esencialmente neurótica.

De hecho, los «Apólogos» no conciernen en absoluto a la sociedad sino a la personalidad de Martín-Santos»[46].

---

45 J. Crispin, «Luis Martín-Santos, Apólogos y otras prosas inéditas», *Books Abroad* n° 45 (primavera 1971), pp. 287-288.
46 Anónimo, *Self scrutinizing. Times Literary Supplement* (18 sept. 1970), p. 1033.

Leyendo lo que antecede uno no sabe muy bien si Martín-Santos se «inspiró» en sus pacientes o si gozaba de una personalidad neurótica. El último párrafo parece inclinarse por la segunda solución. Los sorprendente es que Borges sea sustituido por Baudelaire, por más que las influencias sobre cualquier autor puedan ser múltiples.

Una vez más, en Janet Winecoff Diaz aparece el adjetivo cínico al referirse a la obra de Martín-Santos. «Tal vez la nota más característica es la ironía. Sátira, escepticismo e incluso cinismo están presentes en ellos en diferentes grados»[47].

Un estudio más pormenorizado de *Apólogos* es el que realiza Jane Morrison aunque sólo incide sobre doce de los treinta y siete «relatos» y no trata ninguno de los apólogos «largos»[48]. Pero lo que en las anteriores valoraciones era una evidente superficialidad, en Morrison es comprensión y agudeza, y entiende a la perfección tanto el sentido de los *Apólogos*, como la intencionalidad de su autor: «The author of *Apólogos*, then, was a practiced surgeon, clinical psychiatrist, experimental scientist and creative writer. From all of these perspectives he examines and analyses himself and others in apólogos»[49]. Efectivamente estamos ante un proceso de disección —de ahí la separación en «partes»— del comportamiento humano que comienza con el autoanálisis. Una de las conclusiones inmediatas es constatar que la proposición de Kierkegaard es cierta: no es posible comprender la existencia intelectualmente, no hay nada que permita definir la esencia previamente a la existencia. Volveremos sobre

---

47 J.W. Diaz, «Martín-Santos, Luis. Apólogos», *Hispania* vol. 54, nº 2 (mayo 1971), p. 396.
48 J.Morrison, «Structure and meaning of the Apólogos of Luis Martín-Santos», *Anales de la Literatura Española Contemporánea*, 15 (1990), pp. 97-108.
49 *Ibid.*, p. 98.

este análisis al estudiar pormenorizadamente *Apólogos*. Concluir únicamente indicando que, por razones de método —en la medida que facilitan la comprensión de los textos literarios— abordaremos en primer lugar los que el editor denomina «*Artículos y ensayos*» (Sección IV), seguiremos con los textos literarios «no apologales», *Elea o el mar* (Sección I) y *Prólogo a «Tiempo de destrucción»* (Sección V) para concluir sin solución de continuidad con *Apólogos breves* y *Apólogos largos* (Secciones II y III).

1. EL COMPLEJO DE RAMUNCHO, ENTRE LOS VASCOS

Recordemos lo ya enunciado: *El complejo de Ramuncho* fue concebido para ser comunicado oralmente —y de hecho lo fue, aunque no por su autor—. Tienen pues un cierto carácter coloquial y, todo hay que decirlo, esa falta de profundidad que caracteriza a los textos divulgativos. Martín-Santos ironiza en su inicio sobre la vulgarización de la terminología científica y sobre todo Freud y su complejo de Edipo.

A continuación lanza una afirmación sorprendente: «... los que aquí estamos reunidos, vascos todos...» (el subrayado es nuestro). Martín-Santos no era vasco «de nación», aunque sí de adopción y esa afirmación de vasquismo se inscribe, sin duda, en la total integración de nuestro autor en la sociedad vasca.

Tras el prolegómeno, el autor pasa a explicar la aparente religiosidad del pueblo vasco y su reverso: la crítica permanente al clero y la jerarquía religiosa.

Introduce a continuación el tema con el resumen argumental de la novela *Ramuncho*, de autor francés Pierre Loti[50].

Ramuncho, el protagonista, se dedica al contrabando y no teme a nadie... salvo a la Superiora del convento cuando va a raptar a su novia. Ramuncho se «arruga» y huye, emigrando a América. Ramuncho ejemplifica al «tragacuras» vasco que blasfema y va a misa, reniega de los curas pero manda a sus hijos a un colegio religioso. Su visión de Dios es negativa: «Se le teme a Dios más que se le ama. Creo que fue Baroja quien dijo, que para muchos paisanos, Dios, es algo así, como un sargento de la Guardia Civil o un Jefe de Policía, a quien se le respeta, por el castigo que nos puede imponer»[51].

Retrata finalmente Martín-Santos a los vascos como un pueblo dual, un Jekyll-Hyde colectivo; el pueblo de los cuentos de Trueba y también de Marañón, Lope de Aguirre, Shanti Andía y el Capitán Chimista. Pero acaso, ¿no puede predicarse algo similar de todos los pueblos? El complejo de Ramuncho, ¿no es aplicable a todas las religiosidades inauténticas? ¿El falso temor de Dios no está en el núcleo mismo de unos planteamientos presentes en los tres monoteísmos?

---

50 El autor de *Las desencantadas* es hoy un escritor prácticamente desconocido por las nuevas generaciones, que sólo conocen su nombre por el del café que en Estambul se ubica en la parte alta de la zona europea y que permite la vista incomparable del Bósforo y el Cuerno de Oro. El café de Pierre Loti es cita turística obligada. El orientalismo de Loti hizo suspirar a nuestras madres y abuelas y fue ampliamente leído en colecciones populares como *Novelas y Cuentos*. La novela está publicada, precisamente en esa colección: P. Loti. *Ramuncho, Revista Literaria Novelas y Cuentos*, nº 1458, Madrid, 19 de abril de 1959. Tanto en Francia como en España tuvo múltiples ediciones y es raro el vasco que no haya oído hablar de *Ramuncho*. Tuvo en España una versión teatral de Linares Rivas.

51 AP, p. 105.

Estamos en presencia, esta vez sí, de una obra menor, muy menor. Martín-Santos, si fue realmente su autor, aplica a los vascos un complejo que él sabe, perfectamente, que es universal. La preposición que aparece en el título así lo indica.

2. LA PSIQUIATRÍA EXISTENCIAL

Martín-Santos participó a finales de los años cuarenta en la tertulia del café Gambrinus. Hay varios testimonios, no siempre concordantes, que dan cuenta de los contertulios y sus actividades.

El primero es el de Juan Benet en su obra *Otoño en Madrid hacia 1950*: «Martín-Santos me indujo a acompañarle a la tertulia de «Gambrinus» que tenía lugar en el restaurante del mismo nombre, en la calle Zorrilla, los sábados por la tarde. Aquella tertulia la habían iniciado años atrás unos estudiantes de la Facultad de Filosofía y Letras y en el año 1949 había evolucionado hacia la lectura semanal de un texto, por lo que algunos de sus fundadores la habían abandonado o no asistían a ella con regularidad.

En 1949, el núcleo de la tertulia lo componían además de Luis, Francisco Pérez Navarro, Francisco Soler, Luis Quintanilla, Víctor Sánchez de Zabala, Pepín Vidal, Alfonso Sastre, Emilio Lledó y tantos otros. Creo que el «curso» anterior se había dedicado a «La náusea» y otros fenómenos y en éste se habían propuesto la lectura cada sábado de un fragmento de «L'être et le néant», con traducción oral directa del francés a cargo de uno de ellos, que, por orden rotatorio, debían preparar su disertación durante toda la semana. Si se piensa que el libro todavía hacía furor en Francia, cuatro años después de su descubrimiento tras la Liberación, que las fronteras habían estado cerradas y vedada toda información cultural de carácter nocivo, se reconocerá que aquellos jóvenes filósofos madrileños hacían más de lo que estaba en su mano para estar al tanto del pensamiento europeo»[52]. El siguiente es de otra contertulia, Eva Forest, a la que conocía de la cátedra de Psiquiatría de la Universidad Complutense: «A mí me llevó Martín-Santos a la tertulia. Me dijo cómo allí se hacían lecturas muy interesantes de Filosofía, pero poco después él ya dejó de ir con asiduidad. Yo comencé a asistir a la citada tertulia el año 1950, fecha en la que se estaba leyendo «El ser y el tiempo», de Heidegger. Creo que antes habían leído «El ser y la nada», de Sartre»[53].

Los dos testimonios siguientes son de dos miembros fundadores de la tertulia: Miguel Sánchez Mazas y Víctor Sánchez Zabala. Dice Sánchez Mazas: «La tertulia del café «Gambrinus» se realizaba los sábados, entre 1950 y 1956 aproximadamente. Luis Martín-Santos asistía de forma intermitente cuando vino a vivir a San Sebastián, pero cuando viajaba a Madrid iba a la tertulia. Allí se reunían personas de la Universidad, sobre todo de la Facultad de Filosofía, como Víctor Sánchez Zabala, yo, que era de Filosofía y Matemáticas, y Juan Benet, ingeniero, pero con interés en la Filosofía. Había un grupo de Medicina y Psiquiatría con Luis, Eva Forest y Asunción Vidal, y otro grupo de la Facultad de Ciencias, como Francisco Pérez Navarro, que también tenía interés en la Filosofía. Iban también Alfonso Sastre e Ignacio Aldecoa. Luis Martín-Santos solía llevar a amigos muy variados a la tertulia.

---

52 J. Benet, *Luis Martín-Santos, un memento*, en *Otoño en Madrid hacia 1950*, Madrid, Alianza Editorial, 1987, p. 119.

53 E. Forest, *Testimonio personal*, Fuenterrabía, 27/7/88. En Gorrochategui, *op. cit.*, Apéndice nº 57.

La revista «Theoría» era paralela a la tertulia del «Gambrinus»; era una revista interdisciplinaria, científica y filosófica»[54].

El testimonio de Sánchez Zabala es ligeramente divergente: «Surgió en el año 1946 cuando comenzábamos las carreras universitarias. La idea era cómo hacer una Universidad diferente, porque la establecida no nos llenaba y la llamábamos «Universidad Libre de Gambrinus». La fundaron José María Valverde, Miguel Sánchez Mazas y Francisco Pérez Navarro. Valverde fue el que me animó a mí a que participara en ella. José María Valverde y Miguel Sánchez Mazas pronto dejaron de ir y era Francisco Pérez Navarro el animador del grupo. Nos reuníamos todos los sábados y nos pasábamos toda la tarde, tomando una taza de café (no hacíamos más consumo en el Gambrinus) y hablando del tema que fuera. Luego, se encargaba uno de preparar el capítulo que correspondía a la semana siguiente.

Los primeros años, los temas que se tocaban y los libros que se leían eran de Física y de Filosofía de la Física. Después, «El ser y el tiempo» de Heidegger, al que dedicamos más de un año, luego vimos la doctrina de Platón sobre la Metafísica y sobre la verdad y después «El ser y la nada» de Sartre. Entonces, recuerdo que él nos dio una especie de charla sobre un trabajo suyo de «El Psicoanálisis existencial de Jean Paul Sartre»*, pero él sólo acudía de forma esporádica y no iba a estudiar con nosotros, sino a explicarnos algo desde una posición muy diferente.

Esta primera época de la «tertulia del Gambrinus» duró seis u ocho años, del 46 al 53, más o menos. La revista

---

54 M. Sánchez Mazas, *Testimonio personal*, San Sebastián, 21/6/88. En Gorrochategui, *op. cit.*, Apéndice nº 51.
*   La llamada es nuestra. Dicho trabajo se publicó en 1950. Vid. cita I.

«Theoría»* no tiene, en realidad, nada orgánico en relación con la tertulia, aunque sí nace un poco de la misma inquietud, es decir, de hacer algo que estuviera al margen de la Universidad que había entonces en España y, además, fue posterior a la tertulia»[55].

Lo importante de los testimonios anteriores es la relación de lecturas en la que todos coinciden, aunque no en el orden en que fueron abordadas: *El ser y el tiempo* de Martin Heidegger, *El ser y la nada* de Jean Paul Sartre (el original en francés), *La náusea*, también de Sartre, además de Platón y otros libros sobre Física y Filosofía de la Física. Así mismo, se deduce que Luis Martín-Santos tenía, en 1949-50, la lección bien aprendida en lo que a Sartre y Heidegger se refiere, como prueba la autoría del artículo de 1950. Sabemos también que la lectura de Sartre fue en el idioma original, algo que no nos atrevemos a afirmar de la obra de Heidegger, aunque es posible una aproximación, al menos, al texto alemán, idioma que Martín-Santos conocía y que incluso perfeccionó durante su estancia en Hieldeberg. De hecho, su tesis doctoral abunda en citas y lecturas en lengua alemana.

Pero lo importante, tras este prolegómeno descriptivo, es analizar la transformación realizada por Martín-Santos de la investigación óntico-ontológica heideggeriana a la psiquiatría. Lo que pudiéramos denominar el paso de la razón pura a la práctica.

La primera aseveración de Martín-Santos se inscribe en los planteamientos de Kierkegaard: no hay posibilidad de

---

*   La llamada es nuestra. Luis Martín-Santos publicó uno de sus trabajos psiquiátricos en *Theoria* en 1915. Vid. cita 3.
55   V. Sánchez Zabala, *Testimonio personal*, San Sebastián, 6/7/88. En Gorrochategui, *op. cit.*, Apéndice nº 53.

reducir el comportamiento humano a una formulación bio-lógica-física-matemática. Y no porque aspectos como la complejidad o el principio de indeterminación de Heisenberg así lo impidan: «Aunque supusiéramos cumplido el sueño de la ciencia natural: esto es, que se conociera en un instante dado la posición espacial y energética de todas y cada una de las partículas constituyentes del cerebro humano, no se habría llevado a cabo aquella incorporación. La expresión matemática de este conocimiento físico seguiría siendo incongruente con la vivencia correlativa. «Incongruente» se utiliza aquí en su más estricto significado. No se puede establecer una correspondencia unívoca ni equívoca entre las partes de las dos totalidades consideradas; en nuestro caso un conjunto físico analizable y un estado psíquico irreduciblemente sintético»[56].

Este planteamiento va a tener su reflejo inmediato en varios de los apólogos literarios y —como ya veremos en su momento— especialmente en *Niña paseando por el monte* (AP2) y en aquellos otros que plantean la observación de acciones repetitivas de aparente incongruencia. En definitiva, lo que viene a decir Martín-Santos es que la vivencia humana viene caracterizada por tal grado de libertad que escapa al determinismo de la facticidad, por fuerte que esta sea. El hombre, como ser libre, es imprevisible.

Las páginas siguientes (110-116) van a estar dedicadas —y carecen en este momento para nosotros de un interés inmediato— a analizar la *Posición histórica de la Psiquiatría existencial*. Martín-Santos analiza las dos direcciones metodológicas de la Psiquiatría: fenomenología y psicoanalítica. La primera, como descripción exacta y rigurosa de los fenómenos mor-

---

56 AP, pp. 108-109.

bosos presentes en la conciencia del enfermo mental, obtiene sus éxitos en el terreno de las psicosis. La segunda, al estudiar los hechos psíquicos que tienen lugar en el inconsciente, se instala en el territorio de las neurosis.

No vamos a seguir paso a paso la valoración que hace Martín-Santos pues escaparía del ámbito de nuestro trabajo. Sólo señalar un doble aspecto: tanto la Psicopatología comprensiva —que intenta suplir la visión de conjunto de una vida enferma de cual esta ayuna la Psiquiatría fenomenológica— como el Psicoanálisis precisan de forma ineludible una teoría de los instintos: «No comprendemos nunca una decisión humana sino cuando está montada sobre un instinto. Podemos admitir el acto de pura libertad como posible pero, en rigor, es indemostrable. Por eso podrá reprocharse el pansexualismo, pero el concepto mismo de instinto es indispensable en toda concepción del psiquismo humano que pretenda ser científica y que aspire a comprender su peculiar dinamismo. Lo que ha ocurrido a las diversas sectas psicoanalíticas es que han sido miopes para la rica y fina gama instintual del hombre. Han querido simplificar en exceso la compleja estructura subyacente a la conducta humana»[57].

Casi todo puede ser explicado en el hombre desde el(los) instinto(s). Casi todo, menos su negación en la libertad. Un acto libre deviene así absurdo. Esa omnipresencia instintual así como el pansexualismo son temas recurrentes en la narrativa de Martín-Santos que analizaremos llegado su momento.

Al analizar los *Antecedentes de la Psiquiatría existencial* (pp. 116-117) Martín-Santos parece tratar su propia trayectoria en la comprensión y formulación psiquiátrica: Dilthey (1894), Jaspers (1912), Biuswanger (1922) conectando a Husserl con

---

57 *Ibid.*, p. 114

la Psiquiatría, Minkowski (1923), Bleuler (1925), Gebsattel, Straus, Fisher, y de nuevo Minkowski, al incorporar la analítica de Heidegger presente en *Ser y tiempo* (Martín-Santos traduce directamente del alemán y no incorpora los artículos presentes en la traducción castellana) e interpretar las alteraciones de la temporalidad y de la espacialidad como *Daseinformen* (Formas del ser-ahí).

Es a partir de ese momento y hasta el final del ensayo que Martín-Santos se sumerge en los planteamientos y significados de la analítica de Heidegger (pp. 117-135). Minkowski se convierte así en el antecedente psiquiátrico más relevante de Martín-Santos, aunque nuestro autor va más allá e incorpora los planteamientos de Sartre, no en este ensayo sino en LTT y alguno de sus artículos.

Lo que sigue no es una lectura interpretativa, sino un resumen de *Ser y Tiempo*, algo que evidencia que el texto son en realidad unos apuntes destinados a un seminario psiquiátrico. Martín-Santos empieza señalando que «El horizonte dentro del cual puede darse un sentido al Ser, según Heidegger, no es sino la existencia humana en toda su empiria»[58]. El conocimiento del ser debe ser «a priori» y anterior a toda psicología o antropología. Palabras tales como alma, sujeto o yo están viciadas por anteriores usos metafísicos o psicológicos. La inmediatez total del hombre, anterior a todo concepto o teoría sobre él, debe expresarse con una nueva acepción: *Da-sein, Ser-ahí*[59].

Pasa después Martín-Santos a explicar las líneas fundamentales de la analítica de Heidegger, a la descripción de la existencia (humana) de sus *existenciarios*.

---

58 *Ibid.*, p. 117.
59 *Ibid.*, p. 118. Se han resumido los planteamientos en aras de la mejor comprensión. Vid. SZ, Primera sección, capítulo I, pp. 53-65.

Así la primera característica del *Da-sein*, del *Ser-ahí* es la de *ser-en-el-mundo* o mejor, en una sola palabra *serenelmundo*, ya que *en* tiene un sentido existencial y no espacial. «Creer que la existencia humana está constituida por un sujeto rodeado de espacio con sus cosas exteriores o por una pantalla sobre la que se reflejan los fenómenos, es un error substancialista»[60]. Pero, sobre todo, es óntico-ontológicamente hablando, adelantar acontecimientos. Previo a cualquier otra consideración, Heidegger realiza un doble análisis: el del mundo en su mundanidad y del *ser-en* cuanto tal[61].

En la mundanidad del mundo destacan inmediatamente las cosas. El *ser-ahí* aparece ocupándose de las cosas, utilizándolas como instrumentos; siendo su teorización sobre ellas a posteriori. A este tipo de ser que se caracteriza como instrumento, Heidegger le denomina *ser-a-mano*. Cuando la instrumentación no aparece como evidente estamos ante un tipo de ente que podemos denominar *ser-ante-los-ojos*. Ahora bien, el *ser-a-mano* tiene un carácter de cercanía. Ocuparse de un ente significa desalejarlo. En este sentido, la existencia humana no tiene nada que ver con la espacialidad física, con la espacialidad de la *res extensa* cartesiana. A partir de nuestro «curarnos» (ya veremos el concepto heideggeriano de «cura») del mundo, de ocuparnos de las cosas, construimos nuestra propia espacialidad. Un camino físicamente largo puede «hacérsele a uno» corto. El *ser-ahí*, al desalejar a los *seres-ante-los-ojos*, los hace *seres-a-mano*[62].

---

60 *Ibid.*, p. 120. Vid. SZ, Primera sección, capítulo II, pp. 65-72.
61 SZ. Capítulos III, IV y V, pp. 76-200. En llamadas posteriores se irán acotando los diferentes capítulos.
62 todos estos planteamientos están presentes en AP, pp. 120-121. Vid. SZ, capítulo III, pp. 76-129.

Pero sería un error concebir al *quién* como *ser-ante-los-ojos*. «Dentro del mundo hacen frente al *ser-ahí*, junto al(os) *ser(es)-a-mano*, «los otros». Estos «otros» no tienen la forma de el *ser-a-mano* ni la del *ser-ante-los-ojos*, sino que tal como el *ser-ahí, son-también-ahí*»[63].

Hay una cierta ambigüedad interpretativa en Martín-Santos en el párrafo siguiente, lo que nos lleva a la consulta directa de Heidegger. El «descubrimiento» del *ser-ahí* de *los otros* los caracteriza: *son también y concomitantemente ahí*. En razón de esa concomitancia del *ser en el mundo*, el mundo del *ser-ahí* será ya siempre compartido con los otros. «El mundo del *ser-ahí* es un mundo del *con*. El *ser-en* es *ser-con* otros. El *ser en sí* intramundano de éstos es *ser-ahí-con*[64].

Pero ahora sí debemos retomar de nuevo a Martín-Santos: «El ser-ahí es, pues, al mismo tiempo ser-con. El ser-con es lo que hace posible a la existencia humana el establecer una relación de ser-ahí a ser-ahí. Es por tanto algo previo a la empírica constatación de la existencia de otros. La llamada proyección sentimental no es un fenómeno original sino que se basa en aquella estructura del ser-ahí. El ser-con se nos descubre el *uno* que es el sí-mismo cotidiano. (No hay que olvidar que toda esta primera sección constituye un análisis de lo "cotidiano" que luego será completado por el análisis de lo "propio" en la segunda sección). El uno se descubre en el hecho de ser-uno-con-otro. Sobre el ser-con brota el ser-uno. El uno de cada uno pertenece a los otros. Lo inmediato del ser-ahí en el mundo cotidiano no es un ser propio peculiar sino los otros en el modo del uno. Esta estructura del uno coti-

63 AP, p. 121. Vid. SZ, capítulo IV, pp. 129-147.
64 SZ, p. 135.

diano es la que induce a interpretar al quién como ser-ante-los-ojos»[65].

Continuando el estudio del *ser-en* en cuanto tal Heidegger comienza por la constitución existenciaria del *ahí* del *ser-ahí*, distinguiendo tres existenciarios fundamentales:

1. El *encontrarse*, prelógico y prerreflexivo. Se trata de un vivirse inmediato. Heidegger analiza el caso del temor. En el encontrarse, el *ser-ahí* toma noticia directa de su condición. Así, el temor nos da cuenta de una posibilidad existenciaria —no la única, claro— del *ser-ahí*: ser temeroso. Ahora bien, «lo característico de todo encontrarse, es decir, lo que entra como ingrediente existenciario de todo encontrarse es que revela el ser-ahí en estado de *yecto*, de "arrojado", de puesto en el mundo sin un claro por qué ni para qué, desde un pasado oscuro»[66].

2. El *comprender*: Al igual que el *encontrarse*, este existenciario es siempre afectivo, no cabe una derivación racional. *Comprender* tendría el sentido de *poder hacer* frente a una cosa. «Mediante el comprender, el ser-ahí se capta como una posibilidad respecto del futuro, como capaz de asumir su propio destino al que le ha entregado su estado de yecto. El comprender no es para Heidegger tanto un saber como un poder. Mediante el comprender se capta a sí mismo como una tarea a realizar. El comprender tiene un carácter de "posibilidad". Esta posibilidad no hay que entenderla como libertad indiferente, sino que se halla hincada en el encontrarse, entregada a la responsabilidad de sí mismo»[67].

Basada en el *comprender* hay una *interpretación* capaz de otorgar un sentido. El último derivado de la *interpretación*, y por

---

65 AP, p. 122. Vid. SZ, capítulo IV, pp. 133-147.
66 *Ibid.*, p. 123. Vid. SZ, capítulo V, pp. 151-160.
67 *Ibid.*, p. 123. Vid. SZ, capítulo V, pp. 160-166.

tanto, del *comprender* es la *proposición*. Y la *proposición* remite al fundamento del lenguaje que es el *habla*[68].

3. El *habla*: Se trata del último de los existenciarios. El *habla* no es el lenguaje; es previa al lenguaje, es lo que le hace posible. Es la articulación de la comprensibilidad. El habla no debe confundirse con el "lenguaje interno" de los psicólogos. Su característica es que lleva implícita la comunicación aún cuando no se llegue a traducir en lenguaje[69].

Heidegger-Martín-Santos continúan ahora con el estudio del *ser-en* analizando el *ser cotidiano del ahí*. el ser cotidiano de la existencia o existencia impropia tiene una serie de determinaciones: las habladurías, la avidez de novedades y la ambigüedad*.

En las habladurías, el habla no se utiliza para formular el sentido del *ser-ahí* sino para repetir y transmitir lo que se habla. Se procede sencillamente al hablar *uno con otro*.

En la avidez de novedades todo tiene el aspecto de haber sido comprendido, y no lo está. Presenta las habladurías como lo cierto y sus soluciones —que no lo son— destruyen los verdaderos problemas.

(Ya veremos, en su momento, como tanto los existenciarios como estas tres determinaciones están presentes en *Apólogos*)

Martín-Santos cierra el capítulo que Heidegger dedica al *"ser-en" en cuanto tal*: «La determinación ontológica del ser cotidiano es el *estado de caído*. Tiene el sentido de que el ser-ahí ha caído de sí mismo y se ha dejado absorber por el

---

68 SZ, capítulo V, pp. 166-179.
69 *Ibid.*, capítulo V, pp. 179-186.
*   Este tipo de términos: yecto, habladurías, avidez de novedades, etc., indican, sin lugar a dudas, que Martín-Santos utilizó la traducción castellana de J. Gaos.

mundo que es lo mismo que absorberse en el "uno con el otro". El estado de caído es una determinación existenciaria necesaria de la que participa todo ser-ahí. No debe vérsele como un estado inferior que podría ser corregido»[70].

Todo lo anterior puede resumirse definiendo el *ser-ahí* como el *ser-en-el-mundo proyectante* (por el comprender), *yecto* (por el encontrarse) que está *cabe-el-mundo* y *están-con* los otros. Pero, ¿hay algún medio para el hombre de captar esa estructura total en su ser? «Tales condiciones se hallan reunidas en un encontrarse especial, el de la *angustia*. En la angustia se evita el fenómeno de la caída del ser-ahí en el mundo. De pronto éste aparece desprovisto de su carácter de significatividad. En la angustia el mundo pierde todo su significado. aparece el ser-en-el-mundo en cuanto tal. El ser-ahí se encuentra ante una radical inhospitalidad y según Heidegger éste es el fenómeno más original bajo el punto de vista ontológico de la existencia. En esta situación el ser-ahí queda libre para su más peculiar poder-ser: *Preserse ya en un mundo*. Esta fórmula es precisamente la caracterización de la cura»[71].

Veamos ahora lo que Heidegger-Martín-Santos entienden por *cura*. «Si a esta situación se le quiere llamar *cura de sí mismo* se cae en una pura tautología. En el preserse va ya implícito el ser libre para posibilidades existenciales propias. Pero también la existencia impropia halla su ser en ese preserse. La *cura* es un a priori necesario de toda fáctica posibilidad existencial sea propia o no. La cura por tanto, a través de la clarificación que la angustia lleva a cabo en las estructuras del ser-en-el-mundo, se nos manifiesta como el ser del ser-ahí.

70 AP, p. 124. Vid. SZ, capítulo V B, pp. 186-200.
71 *Ibid.*, p. 125.

El ser del ser-ahí quiere decir preserse ya-en (*el mundo*) *como ser-*
cabe (*a los entes que hacen frente dentro-del mundo*)»[72].

Esta formulación complejísima intenta Martín-Santos
reducirla al lenguaje vulgar: «(la) cura se refiere a una
manera de ser necesaria y fundamental del hombre mediante
la cual éste se cuida de los seres o cosas del mundo y del
mundo en su totalidad y de su situación en el mundo y de sí
mismo en cada momento como base a toda otra posible actitud. La *cura* representa una estructura formal que es el mismo
ser del hombre y cuya última explanación sólo se aclarará al
referirnos al tiempo. En la estructura de la cura va ya implícita, aunque aún no nos hayamos referido a ella, la especial
temporalidad del ser humano»[73].

Martín-Santos dedica la segunda parte de su trabajo a
resumir la segunda sección de *Ser y tiempo* titulada *El ser-ahí y la*
temporalidad[74].

En esta construcción de su propia temporalidad el hombre tiene que abordar, necesariamente, la significación
existenciaria de la muerte. «Lo cotidiano es lo que se esca-
lona entre el nacimiento y la muerte. Sin embargo, esta
última, que es la más cierta posibilidad del ser-ahí, queda
excluida de lo cotidiano. Cuando lo cotidiano tiene que ver
aparentemente con la muerte bajo la forma falsificada de
la-muerte-de-otro. sin embargo, la verdadera muerte del
ser-ahí es la muerte propia. Por tanto, una consideración
total del ser-ahí ha de incluir su muerte. Ni la biología ni la
psicología pueden darnos una información sobre lo que

72 *Ibid.*, p. 125. Vid. SZ, capítulo VI, pp. 200-253.
73 *Ibid.*, pp. 125-6. Vid. SZ, capítulo VI, pp. 200-253. Martín-Santos
    extracta al máximo el capítulo VI de SZ, cuya argumentación es, funda-
    mentalmente, ontológica.
74 *Ibid.*, pp. 126-127. Vid. SZ, sección II, capítulo I, pp. 258-291.

solicitamos: La significación existenciaria, ha de poder ser definida a partir de lo que hemos descubierto como ser del-ser-ahí; esto es, la cura. Puesto que la muerte es la posibilidad más cierta y peculiar del ser ahí, aquel "pre-serse" que distinguíamos como elemento estructural de la cura ha de concretarse en cuanto a "ser relativamente a la muerte". No relativamente a un morir futuro y lejano sino actuante en su mismo estado presente de yecto. Este estado de "yecto en la muerte" se hace aparente precisamente en el *encontrarse propio de la angustia*. Por tanto, es a partir de este encontrarse, como el ser-ahí capta su ser-total, puesto que en él aparece dado de un modo fáctico su ser-para-la-muerte. al mismo tiempo, el ser-cabe que expresa el tercer elemento de la cura es, en la angustia, un ser-cabe lo absolutamente inhóspito del mundo. Ontológicamente, por tanto, sólo esta estructura de la cura que se hace patente en la angustia hace comprensible el ser-ahí incluyendo su totalidad, es decir, la muerte actualizada ya en cuanto que *ser-para-morir*» [75].

Así pues, sólo en la angustia el hombre capta la totalidad de su ser. La existencia propia se realiza a sí misma como "*estado de resuelto*". La atestiguación por el *ser-ahí* del *estado resuelto* es objeto de sucesivas descripciones.

Para demostrar tal atestiguación, Heidegger procede a analizar la *conciencia*. Esta consiste en la atestiguación del hombre como *ser-deudor*: «La "*propiedad*" de la existencia consiste en permitir que obre la conciencia reconociendo ese ser-deudor que le es propio. Esto es, comprenderse como "*querer tener conciencia*". El querer tener conciencia se encuentra en una "*disposición para la angustia*" y el habla que se corres-

75   *Ibid.*, p. 128. Vid. SZ, sección II, capítulo II, pp. 291-328.

ponde al estado de resuelto es la *silenciosidad*. El silencio es una de las posibilidades del habla.

Resumiendo tenemos pues estructurado el ser-propio según los tres existenciarios: En cuanto que encontrarse, disposición a la angustia; en cuanto, que comprender, querer tener conciencia; en cuanto que habla, silencio»[76].

Pero, *¿en qué consiste fenomenológicamente la cura?* Heidegger recuelve la cuestión señalando que todas las estructuras descritas son temporales; y se propone estudiar la *temporalidad propia del ser-ahí*. Si recordamos la definición de la cura:

Pre-ser-se ya-en como ser-cabe

A cada uno de los miembros corresponde un éxtasis distinto de la temporalidad:

El pre-ser-se se funda en el *advenir*

El ya-en denuncia el *sido*

El ser-cabe hace posible el *presentar*

Estos tres términos en lugar de futuro, pasado y presente indican que Heidegger no se refiere a la noción vulgar del tiempo, sino a un tiempo existencial ontológicamente previo. Así, el *pre* no tiene sentido de anterior sino de aquello que hace posible que el *ser-ahí* tenga un *poder-ser*. El *ya*, que el *ser-ahí* sea *yecto*; mientras que el *cabe* alude a la temporalidad original y no al presente cotidiano[77].

El *ser-ahí* incluye en sus estructuras el tiempo. En oposición al tiempo vulgar, el tiempo existencial es finito como realizado en el *ser-para-la-muerte*.

De los tres éxtasis, *el advenir es primario* para la existenciaridad; esto es para el presente. Heidegger abordará ahora la

---

76 Se ha resumido al máximo el «resumen» de Martín-Santos. Vid. AP, pp. 128-129 y SZ, sección II, capítulo III, pp. 328-361.

77 AP, p. 129.

búsqueda de la impronta de la temporalidad en todas las estructuras, comenzando por la temporalidad del *ahí*:

1.   a) *Temporalidad del comprender*: El *ser-ahí* se *pre-es* corriendo al encuentro de su posibilidad más propia. Aunque primariamente dependiente del *advenir*, el *comprender* está determinado con igual originalidad por el *presente* y el *sido*.

1.   b) *Temporalidad del encontrarse*: El poner ante su estado de yecto del *encontrarse*, solo es posible si el *ser-ahí* es sido constantemente. El encontrarse se funda en el *sido* aunque también le es inherente un *advenir* y un *presente*.

En la angustia, el *encontrarse* se funde originariamente en el *sido* y, desde este, se temporaliza el *advenir* y el *presente*.

1.   c) *Temporalidad de la caída*: El elemento temporal que hace posible la caída es el *presentar*. Cuanto más impropia es la existencia, tanto más huye ante *su-propio-poder-ser*, se cierra sobre el presente y crece más su olvidar.

1.   d) *Temporalidad del habla*: El conjunto de los tres éxtasis anteriores recibe en el habla la articulación. De ahí que no se temporalice primariamente; aunque como el *habla* se expresa en el lenguaje tiene en el presente una función preferente.

2.   *Temporalidad del ser-en-el-mundo*. El *ser-ahí* es un ser iluminado. La luz que lo ilumina es la cura. Veamos como la temporalidad ilumina los seres intramundanos.

2.   a) Todo uso de un ser-a-mano va referido a un conjunto de conformidad dentro del cual alcanza un para-qué. El para-qué lleva implícito un estar a la expectativa que se basa ya en un éxtasis temporal. El estar a la expectativa (advenir), junto con el retener el conjunto de conformidad (sido), hacen posible el presentar el útil. En la cura del ser-a-mano va, pues, incluida la temporalidad.

2.   b) Igualmente en el curarse del ver en torno descubriendo teóricamente lo *ante-los-ojos*. Esta conducta consiste en un abstenerse de la manipulación de lo visto... *(la) trascen-*

dencia del mundo reside en que la temporalidad tiene, en cuanto unidad estática, lo que se llama *horizonte*. Los éxtasis son "arrebatos hacia" y el horizonte es el "adónde" de este arrebato.

3. *Temporalidad de la espacialidad* peculiar del ser-ahí: Espacial sólo puede ser el ser-ahí en cuanto que cura. El ser-ahí no es por el contrario nunca ante-los-ojos en el espacio. El ser-ahí *se toma* un espacio. El espaciarse un espacio del ser-ahí consiste principalmente en el des-alejamiento.

4. *Temporalidad del tiempo vulgar*: Así como el espacio, también el concepto vulgar del tiempo se funda en la temporalidad original del ser-ahí. Para Heidegger el tiempo vulgar es el tiempo concebido como sucesión de ahoras y numerado por algún ser-ante-los-ojos que se caracteriza por cierta ritmicidad. El tiempo vulgar como infinito dentro del que transcurriría la existencia del hombre en sus sucesivos *ahoras* es el que corresponde a la existencia cotidiana que así determinada no sólo es un "aspecto del ser", sino un "modo del ser" diferente de la existencia propia[78].

Martín-Santos concluye su resumen de *Ser y tiempo* señalando que «Resumiendo cuanto antecede, diremos que para Heidegger ha quedado demostrado que la entidad que explica a una el ser del hombre y todas las estructuras que la analítica existencial descubre en el mismo es precisamente el tiempo»[79], para, a renglón seguido, desinteresarse de la cuestión del ser en general que dice «interesa a la metafísica». Nuestra labor —explica— es «desbrozar las posibilidades de una Psiquiatría edificada sobre los resultados de la

---

78 *Ibid.*, pp. 130-133. Vid. SZ, sección II, capítulo IV, pp. 361-402, capítulo V, pp. 402-435 y capítulo VI, pp. 435-471.

79 *Ibid.*, p. 133.

analítica del Dasein. Es decir, desinteresados del Ser en general nos volveremos al hombre concreto»[80].

Pero esta labor no la lleva a cabo. El final del ensayo —si es que lo es, pues a nuestro juicio se trata de un trabajo inacabado— es un poco decepcionante. Recuerda las ya señaladas insuficiencias de los dos métodos dominantes en la Psicopatología: el fenomenológico y el psicoanalítico y asevera: «La Analítica existencial, por primera vez, ha sido capaz de ir a la realidad misma del hombre en cuanto que existente, trayendo a la luz la facticidad que yacía bajo el apretado tejido de teorías y lenguaje, cuyo nudo gordiano no es sino la dualista escisión cartesiana»[81].

Entra en el *tema* que reconoce lleno de dificultades: «El ser del hombre es la cura. La cura se nos resuelve en tiempo. El tiempo, pues (el tiempo propio, el temporaciarse propio) ha de ser el concepto existenciario fundamental de vuestra labor.

Recordemos el esquema de la Analítica. En primer lugar *una mundanidad*; con la mundanidad, una espacialidad en ella basada y unos entes intramundanos, una iluminación y una significatividad del mundo. En segundo lugar, *un quién* con sus modos del ser-sí-mismo o ser-uno; con las peculiaridades del ser-con. En tercer lugar, *un ahí* con sus existenciarios fundamentales del comprender, el encontrarse, el habla y la caída»[82].

Dar cuenta circunstanciada de las peculiaridades morbosas de cada apartado corresponde a la Analítica psicopatológica y explicarlas por una alteración propia o impropia.

---

80 *Ibid.*, p. 133.
81 *Ibid.*, p. 134. Se refiere al dualismo sujeto-objeto.
82 *Ibid.*, p. 134.

Con la existencia propia va la posibilidad de *ser-relativa-mente-a-la-muerte* y el *estado-de-resuelto*. Martín-Santos indica como estas variantes no son ajenas a la Psiquiatría. El *encontrarse* de la angustia caracteriza a muchos cuadros morbosos. El *comprender* como *querer-tener-conciencia* está presente en el aceptarse como culpable en las depresiones endógenas.

Ya, casi concluyendo, propone un análisis a fondo de la obra de Heidegger: que hay en ella de fijo, inamovible e inmodificable y cuales son las variantes que pueden introducirse en el esquema heideggeriano diferenciando *la estructura formal a priori* y las posibilidades fácticamente realizables. No nos resistimos a transcribir íntegro el último párrafo: «No es difícil deducirlo para cada existenciario particular: Todo ser-ahí tiene su propia mundanidad; he aquí un hecho apriorístico, estructural. Sin embargo, esta mundanidad puede tener distinta espacialidad, distinta significatividad, distinta iluminación; he aquí las variantes a recorrer. Todo ser-ahí tiene un encontrarse: he aquí el a priori. el encontrarse puede ser el consecutivo a una "disposición para la angustia" en el estado de resuelto, o bien una de las múltiples variantes del humor que ónticamente se describen en un tratado de los sentimientos vitales; he aquí variantes que enriquecerán la Psicopatología existencial. El mismo Heidegger reconoce que existen muchas variantes que él no recorre tratando sólo, a guisa de ejemplo, el caso de la angustia y el del temor»[83].

Aquí ¿concluye? el ensayo incluido en *Apólogos* que P.J. Gorrochategui analiza en el apartado 6-4-6 de su obra[84]

---

83 *Ibid.*, p. 135.

84 P. J. Gorrochategui, *op. cit.*, capítulo 6-4, *Epietemología Psiquiátrica*, pp. 328-413. 6-4-6, *Análisis del valor de la Psiquiatría Existencial*, pp. 366-373.

datándolo en 1960, aproximadamente, es decir que fue redactado un año después de LTT que data en 1959. Esto no abona, precisamente, nuestro planteamiento de obra inacabada. De hecho, Martín-Santos tuvo tres años para concluirla. Pero existe otra explicación. Si analizamos el penúltimo párrafo del ensayo, todo parece indicar que Martín-Santos llevó a cabo un estudio de las «posibilidades fácticamente realizables» de la Analítica Existencial de Heidegger en una de sus publicaciones psiquiátricas[85] y en algunos inéditos. Es posible que Martín-Santos, tras este análisis de las *posibilidades fácticamente realizables*, hubiera vuelto a redondear y explayar la teoría. En cualquier caso, estamos en presencia de un texto abierto, de un resumen con escasas aportaciones originales, con un destino claro: servir de base a discusiones internas de un grupo de profesionales de la Psiquiatría.

3. DIALÉCTICA, TOTALIZACIÓN Y CONCIENCIACIÓN

En 1946, J.P. Sartre publica en *Temps Modernes* su famoso trabajo *Materialismo y revolución* que abriría una brecha entre el filósofo existencialista y la escolástica marxista de los años 40. Años más tarde se publicaría junto con otros artículos en *Situations III*[86]. Casi tres lustros después, en 1960, Gallimard saca a la luz *Critique de la raison dialectique* (précédé de *Question de methode*)[87]. Dos años más tarde, en marzo de 1962,

---

85 L. Martín-Santos, «Descripción fenomenológica y análisis existencial de algunas psicosis epilépticas agudas», *Revista de Psiquiatría y Psicología médica de Europa y América Latina*, año IX, tomo V, n. 1 (enero 1961), pp. 26-47.

86 J.P. Sartre, *La república del silencio (Situations III)*, Buenos Aires, Losada, 1960, pp. 89-142.

87 CRD.

Martín-Santos fecha el artículo-conferencia-ensayo incluido en *Apólogos* con el título arriba indicado.

Salvador Clotas en el prólogo de *Apólogos* dice que este ensayo «resulta muy útil para conocer la evolución ideológica sufrida por el autor. El trabajo se caracteriza por la tendencia antropocéntrica del pensamiento dialéctico del autor y una cierta falta de madurez que se pone de manifiesto en la contradicción entre la tendencia crítica del comienzo y la tesis bastante especulativa que lleva a pensar en Sartre e incluso en Vico. Pese a lo cual creo que constituye uno de los testimonios más valiosos sobre la posición ideológica e intelectual de Martín-Santos»[88].

Aceptando con reservas lo anterior —salvo lo referente a Vico que es, sin duda, un intento del prologuista de informarnos de sus lecturas, que no las del prologado— es cierto que nos da a conocer bastante bien el pensamiento político de Martín-Santos.

El artículo-conferencia-ensayo es, a nuestro juicio, un documento político destinado a un fin que desconocemos pero que podemos intuir: un seminario interno, una reunión política o un congreso del PSOE. Da la impresión, por su redacción, que, aunque pudiera repartirse el texto escrito, iba a ser, o fue, comunicado oralmente.

Pero si el mismo es indicativo del pensamiento de Martín-Santos, la valoración de Clotas no lo es menos de la ideología espartaquista imperante en el PSOE de los años 60 y de la influencia de la ideología alemana —del Este, claro— en las filas socialistas.

Efectivamente, Martín-Santos está más cerca de Sartre que de la imperante en el partido en el que militaba. *Dialéc-*

88 AP, p. 18.

tica, totalización y concienciación abunda en la tesis mantenida por Sartre en *Materialismo y revolución*: la dialéctica es aplicable al hombre y a su historia —por más que existan agrupaciones humanas sin historia— pero, en modo alguno, es aplicable a la naturaleza. No es contra Marx sino contra Engels —*Anti-Düring, Dialéctica de la naturaleza*— que Sartre y Martín-Santos arremeten, aunque sin citarlos y contra la escolástica marxista de tan estrepitoso derrumbe. Es, precisamente, en los años 60 cuando Sartre, en la CRD se rebela contra todo intento de que el existencialismo se subsuma en el marxismo. Es más, clarividentemente señala la situación de prederrumbe de la teoría y la praxis en el socialismo «real».

Comentando el opúsculo de Lukacz, *Existencialismo y marxismo*, Sartre afirma rotundamente «estábamos convencidos *a la vez* de que el materialismo histórico nos daba la única interpretación válida de la historia y de que el existencialismo era ya la única aproximación concreta a la realidad»[89]. Martín-Santos nos dice algo muy similar en su artículo: «El hombre es el único ser capaz de vivir una totalización. En cuanto tal, únicamente él puede devenir agente y materia de la dialéctica. Por ello la dialéctica aparece como pieza maestra de las ciencias históricas»[90].

Ya en los años 60, el marxismo-leninismo como doctrina estaba liquidado. Nuevamente la clarividencia y anticipación sartreana es evidente. Se había llegado a una situación en que una antropología prescindía del hombre. Su enfermedad era, a la vez, «infantil» y «senil». No nos resistimos a una doble cita: «El subterráneo de Budapest era real en la cabeza de Rakosi; si el subsuelo de Budapest no permitía que se

---

89 CRD, p. 27.
90 AP, p. 139.

construyese, es que este subsuelo era contrarrevolucionario. El marxismo como interpretación filosófica del hombre y de la historia, tenía que reflejar necesariamente las ideas preconcebidas de la planificación: esta imagen fija del idealismo y de la violencia ejerció sobre los hechos una violencia idealista. El intelectual marxista creyó durante años que servía a su partido violando la experiencia, desdeñando los detalles molestos, simplificando groseramente los datos y sobre todo conceptualizando los hechos antes de haberlos estudiado»[91].

«Muchos carteles cubrieron hacia 1949 las paredes de Varsovia: "La tuberculosis frena la producción". Su origen estaba en alguna decisión del gobierno, y esta decisión partía de un sentimiento muy bueno. Pero su contenido señala de una manera más evidente que cualquier otro hasta qué punto el hombre está eliminado en una antropología que se tiene por puro saber»[92].

El pensamiento de Martín-Santos, bastante más maduro que el de su protagonista, se inscribe en estos planteamientos sartreanos. Martín-Santos es un humanista y un humanista crítico. Entiende el hombre como libertad. Es desde esa libertad que se plantea tanto la teoría como la *praxis*.

«La historia se ha hecho a golpes de toma de conciencia a los que no obligaban mecánicamente las situaciones concretas en que los sujetos de la historia se encontraban. A la enajenación caracteriza una cierta ignorancia de la coacción: la coacción no es vivida con plena conciencia a pesar de su realidad inexorable. Las contradicciones sufridas no son plenamente vividas hasta que se logra la operación fundamental de la toma de conciencia. al ser vividas por un hombre, por un

91 CRD, p. 29.
92 *Ibid.*

grupo, por un pueblo, éstos llegan a ser ejecutores de la historia y creadores de una nueva totalidad»[93].

Un pensamiento clarividente en su época. Una vez más, Martín-Santos «resume» a la perfección los planteamientos sartreanos. Unos planteamientos que, aunque dejados de lado en la actualidad, no han experimentado el total derrumbe de la escolástica soviética y sus epígonos.

4. TEXTOS LITERARIOS NO «APOLOGALES». PRÓLOGO A *TIEMPO DE DESTRUCCIÓN*

Si resulta un poco sorprendente la inclusión en la edición de *Apólogos* del prólogo de la novela inconclusa, *Tiempo de destrucción*; es todavía más incomprensible que el mismo no aparezca en la edición anotada de dicha obra realizada por José-Carlos Mainer en 1975.

Pero, todo tiene su explicación. La edición de *Tiempo de destrucción* se lleva a cabo once años después de *Apólogos*. Este retraso tiene un origen familiar. TD se publica tras el fallecimiento del padre de Luis Martín-Santos, al que, sin duda, molestaban profundamente algunas partes del texto. Existiendo como existía una relación reverencial del autor hacia su padre —al que siempre trató de usted— es obvio deducir que similar actitud estaría presente en el resto de la familia. Sólo, tras la muerte de don Leandro, que alcanzaría el generalato como médico militar, pudo llevarse a cabo la edición. La no inclusión del prólogo en una edición crítica tan minuciosa como la llevada a cabo por Mainer tiene su origen en planteamientos editoriales: Seix Barral no quiso incluir

---

93 AP, p. 139.

un texto ya publicado. Incluso se alegó que las novelas no tienen prólogo, entendiendo como tal un texto a cargo del propio autor[94].

Dos aspectos nos interesa aclarar en este apartado. El primero, la datación de *Apólogos*. El segundo, la vinculación *Tiempo de silencio* - *Apólogos* - *Tiempo de destrucción*.

A nuestro juicio, la redacción de *Apólogos* y la de ambas novelas corren paralelas. Ya hemos hecho alusión al veloz ritmo de producción literaria de Martín-Santos. Nada tiene de extraño que simultaneara su escritura. Razones temporales así parecen indicarlo.

El 6 de abril de 1963 se publica en la revista Triunfo uno de los apólogos largos, *Tauromaquia*[95]. En otoño de 1963, Martín-Santos asiste al rodaje de la película de Antón Eceiza, *El último verano*, cuya crónica, *Condenada belleza del mundo* sería publicada caso un cuarto de siglo más tarde en *El Urogallo*. Se ha postulado la naturaleza «apologal» de dicho texto, «el Apólogo que Clotas olvidó incluir en su edición»[96]. Sin romper una lanza a favor del editor, esta vez Clotas acertó plenamente. *Condenada belleza* no es un apólogo y, de incluirlo, tendría que haberse hecho junto a *Elea o el mar*, por más que ambos textos sean tan disímiles como separados en el tiempo. Volveremos a tratar el tema al analizar ambos relatos más adelante.

Josefa Rezola, en su testimonio ya citado, denomina a los Apólogos, cuentos. Esta denominación es inadecuada, tanto desde un punto de vista estructural como conceptual. No se

---

94   Estos datos proceden de una conversación privada del autor de este trabajo con el profesor Mainer.

95   AP, pp. 75-81. *Triunfo*, n° 44, 2ª época (6 de abril 1963), Madrid, pp. 74-75.

96   Esta aseveración procede de Josefa Rezola: Vid. notas 30 y 31.

trata de cuentos morales, sino de su negación. Es más, los *Apólogos* de Martín-Santos niegan y reniegan de cualquier posibilidad apologal, de cualquier posibilidad de síntesis dialéctica. Su referente ideológico es idéntico al planteado por Simone de Beauvoir en *Para una moral de la ambigüedad*[97]. En su momento, *Tiempo de silencio* fue definido no como el psicoanálisis de un personaje –su protagonista–, sino de España, de todo un pueblo[98]. Idéntico planteamiento podría aplicarse a *Tiempo de destrucción*. Pero el psicoanálisis no es un proceso puramente inquisitivo: pretende alcanzar el reconocimiento, por parte del psicoanalizado, de su ser auténtico, de las razones de su neurosis y, a través de ese reconocimiento, lograr su cura. Este es, a nuestro juicio, el planteamiento de Martín-Santos en *Tiempo de silencio-Apólogos-Tiempo de destrucción*. ¿Pero cuál es el sujeto de la cura? No el personaje, desde luego, sino el único posible: *el lector*.

La forma narrativa variable, en la que se alternan el monólogo interior y el narrador omnisciente, revelan una técnica psicoanalítica que deja claro, para el lector, lo que *no debe ser*. Repetidamente, Martín-Santos obliga a sus personajes a bajar a los infiernos, a vivir una catarsis satánica de la cual se puede emerger liberado –Agustín en el hipotético final de *Tiempo de destrucción*– o definitivamente perdido –Pedro en *Tiempo de silencio*.

Juan Benet, en su *Otoño en Madrid hacia 1950* nos introduce en un planteamiento de Martín-Santos digno de ser considerado: «Entre los diversos (y algunos disparatados, por demasiado canónicos) dogmas literarios que a sí mismo se

---

97 Simone de Beauvoir, *Para una moral de la ambigüedad*, Buenos Aires, La Pleyade, 1972.

98 J. Schraibman, «'Tiempo de silencio' y la cura psiquiátrica de un pueblo: España», *Ínsula*, 1977 (365), 3.

había dictado Luis, consistía uno en creer que toda obra literaria de envergadura debía incluir, y a poder ser en su parte central, una Walpurgisnacht. Por más que yo tratara de refutar esa necesidad y le instará a enumerar más de dos obras que tuvieran una Walpurgisnatch, Luis se refugiaba en la doctrina de que toda obra tenía, aunque fuera disimulada y poco perceptible para el lector superficial, una Walpurgisnacht. Así pues constituía un deporte buscar la Walpurgisnacht en los textos más insólitos —no ya de la literatura sino de la historia, de la filosofía y hasta la ciencia— y el día que le comuniqué, torpe de mí, que había descubierto una Walpurgisnacht, taimadamente disimulada, en el mismo corazón de *Moby Dick*, la doctrina quedó confirmada para siempre, fuera del alcance de toda investigación erudita. No será de extrañar, por consiguiente, que la Walpurgisnacht asome en la parte central de *Tiempo de silencio* en forma de dos escenas, de unas veinte páginas de longitud en total, que la censura tuvo a bien suprimir en la edición de 1962 y que supongo que en las posteriores han sido reestablecidas. Tal importancia concedía Luis a esas páginas —pues sin ellas la novela carecía de Walpurgisnacht— que cuando me envió el libro lo acompañó de sus copias al carbón, con indicaciones precisas sobre los puntos donde debían ser intercalados los diversos párrafos, a fin de dejar bien patente su fidelidad a la doctrinal juvenil y la importancia que seguía concediendo a la Walpurgisnacht para la composición y armonía del conjunto»[99].

Esta Noche de Walpurgis, culmen de los ritos sabáticos de la brujería y el satanismo, tienen un notable sentido de catarsis. La bajada a los infiernos es una liberación en el mal, socialmente entendido, una ruptura total de las ataduras de

99 *Ibid.*, 123-128.

todo tipo y, sobre todo, con la facticidad del pasado. Pero de esa *Walpurgisnacht* puede surgir un hombre nuevo —Agustín en el esquema previsto en *Tiempo de destrucción*— dispuesto incluso a pagar la libertad con la muerte; o un hombre definitivamente destruido —Pedro en *Tiempo de silencio*— que acepta la castración.

La diferencia fundamental entre ambas novelas es que mientras Pedro representa al pueblo español o, al menos, a su mesocracia, Agustín es claramente el propio Martín-Santos. Infinidad de detalles así lo apuntan. Así mismo, el amigo que aparece en ambas novelas es sin dudar Juan Benet, absolutamente reconocible incluso en su ámbito familiar en el Matías de *Tiempo de silencio*. Una búsqueda de todos los elementos autobiográficos que Martín-Santos puso en sus novelas, y que son abundantísimos, así como la identificación de los personajes de ficción con sus correlatos reales, no sería ociosa, pero escapa de los objetivos de este trabajo.

Pero, tal vez, el elemento autobiográfico más importante y que precisaría de un estudio en profundidad es el concepto que tenía Martín-Santos de la mujer y de la sexualidad, de su propia sexualidad.

Ni que decir tiene, que Martín-Santos, como cualquier otro psicoanalista, concedía a la sexualidad un papel clave tanto en el propio desarrollo personal como en las relaciones intersubjetivas. La descripción que Benet hace de las andanzas prostibularias de Martín-Santos; si bien son hoy bastante sonrojantes, no dejan de ser reveladoras. Esos brazos de mujer madura, ese miedo a ser devorado por la vagina y ese concepto inmanente de la mujer —que comentaremos en *Elea*— sedente y fecundable darían para horas de diván psicoanalítico que, posiblemente y siguiendo la costumbre de los psiquiatras, Martín-Santos llevó a cabo de forma introspectiva. Pero, y una vez más, volviendo al *Memento* de Juan Benet,

Martín-Santos se nos aparece como un personaje dual, extremadamente convencional en algunos aspectos —relaciones sociales, familiares, sexualidad...— frente a otros en los que es extraordinariamente lúcido.

Si redujéramos a un esquema *Tiempo de silencio* y *Tiempo de destrucción* sería fácil encontrar esa Noche de Walpurgis de la que habla Benet. En *Tiempo de silencio* comienza con las libaciones sabáticas en compañía de Matías, se prolonga en el prostíbulo para continuar con el sacrificio de la doncella que primero es desflorada (Dorita) y luego inmolada por «las fuerzas del mal» (Florita). Pedro, neófito del rito sabático «oficiará el ritual de la muerte». pero esta catarsis no surtirá efectos liberadores. Pedro se instala en la inautenticidad y en la mala fe. En la primera, por el olvido; en la segunda afirmando ser lo que no es, en lugar de un ginecólogo inepto afirma ser un hábil cirujano. Luego, se rendirá sin lucha; doblará el espinazo para reintegrarse al seno materno y aceptando la culpa —que lleva aparejado el perdón— se instalará de nuevo en la facticidad de la ausencia de proyecto vital. Aceptará, definitivamente, la castración.

El siguiente esquema resume lo anteriormente descrito:

TIEMPO DE SILENCIO

PEDRO parece tener un proyecto vital, pero es un proyecto que no es asumido, un pseudoproyecto

PEDRO SE ABANDONA ANTE LAS FACTICIDADES

Facticidad del entorno
Facticidad del instinto
Facticidad del sexo

WALPURGISNACHT

Libaciones y orgía
La desfloración de la doncella

Pedro oficia el ritual de la muerte

El intento de olvido como instalación en la inautenticidad

Pedro pretende ser lo que no es: mala fe

Pedro se refugia en el seno materno

Pedro se rinde sin lucha. La aceptación de la culpa como falso intento de liberación

La aceptación del perdón

Tras la destrucción del proyecto, Pedro se instala en la facticidad.

Aceptación de la castración

En la redacción de *Tiempo de destrucción*, Martín-Santos comenzó por el final; es decir, trazó el esquema de lo que habría de ser la *Walpurgisnacht* en la que culminará el proceso de la larga marcha del personaje central, Agustín, hacia la libertad. Ya, desde el inicio de la novela, Agustín descubre que no puede ser como su padre, que tiene que liberarse de su madre, que la rebeldía es necesaria. Pero, descubre también que el camino no es precisamente un lecho de rosas y, lo que es más grave, que no existen rutas bien definidas que lleven a la liberación. Yecto —en el sentido heideggeriano del término, arrojado en el mundo, debe autoafirmarse frente a ese mundo, frente a las facticidades y ocuparse de las cosas y de *los otros*. En la negación encontrará su autoafirmación infantil, superando el miedo al castigo y negándose a aceptar la culpa. Ya adulto se convertirá en juez. Esta elección tendrá solo un carácter provisional. Si inicialmente Martín-Santos pensó que Agustín podía ser seminarista, pronto renunció a ello. Esta elección fue acertada, ya que no se trataba de describir una crisis de fe. Por el contrario, la profesión de juez

—por definición aquel que se ocupa (juzga) de (a) «los otros» y de sus relaciones— era idónea para sus planteamientos. Martín-Santos deja para el final dos superaciones: la del solipsismo inicial de todo hombre: superación del terror del otro y la superación del terror trágico, del miedo a la muerte. Al hablar de esta manera lo hacemos basándonos en el Apéndice (Guión y cronología de *Tiempo de destrucción*)[100]. Tras el descubrimiento de *ser-para-el-otro*, Agustín iniciará su relación amorosa con Constanza y vencerá su impotencia. Tras esta primera superación vendrá la búsqueda de la libertad, superando el terror a la muerte.

De nuevo otro esquema intenta fijar la evolución del personaje a lo largo de la novela.

TIEMPO DE DESTRUCCIÓN

EL LARGO CAMINO DE AGUSTÍN HACIA LA LIBERTAD

LA LIBERTAD COMO DEMOLICIÓN DE LAS FACTICIDADES

La rebelión infantil. El «no» como autoafirmación

La superación del miedo al castigo y del complejo de culpa

La liberación de la madre y la adquisición de la condición de adulto

Superación de la figura del padre

Asunción de un proyecto convencional y provisional

Agustín juez

Ser-para-el-otro en la relación intersubjetiva: Agustín y Constanza

La pérdida de la virginidad como asunción del propio cuerpo y superación del miedo al otro

100 T.D., pp. 43-44.

Razón e instinto. Crisis y negación de los valores
La verdad a través del mal
**La libertad como negación total de todo
condicionante**
WALPURGISNACHT
AQUELARRE
BLASFEMIA Y SATANISMO
MUERTE DE LA BRUJA
DISCIPLINANTES
LA BÚSQUEDA DE LA MUERTE

El Prólogo de *Tiempo de destrucción* tiene mucho de análisis teórico, salpicado de autojustificación.

«Desaforado y loco, le parece a Martín-Santos - el intento de dar cuenta... de la historia de Agustín»[101]. Efectivamente, resulta excesivo el empeño de trasladar al papel la complejidad cuasi infinita de un ser humano. Pero, ese es precisamente el empeño y el privilegio de la literatura. La ambigüedad de todo texto literario, su multiplicidad a cargo de sus lectores y la posibilidad de que éstos se «pierdan» por sus vericuetos, confieren a la literatura un papel de privilegio a la hora de acercarse a la complejidad de un ser humano, esa imprecisión que diferencia a un hombre de un objeto, aunque éste sea una obra de arte[102]. Martín-Santos habla incluso de trazar una teoría de la biografía.

Martín-Santos asume en el Prólogo el papel de narrador omnisciente, de *alter ego* de Agustín. Hay más que una teoría de la literatura y del símbolo. Un interlocutor oculto interroga a Martín-Santos: «¡Dilo ya! ¿Cuál es el símbolo que

---

101 AP, p. 143.
102 *Ibid.*, p. 144.

ves en tu personaje, en ese amigo tuyo que fue capaz de elegir su destino con más conciencia?»[103]. Esa concienciación y esa elección del destino —en la libertad desnuda, en el concepto sartreano del término— es la clave de la narrativa de Luis Martín-Santos. Un símbolo no es nunca explicable. Puede, eso sí, describirse y esa es, precisamente, la tarea que la literatura se impone. Quédese para dóciles estudiosos su explicitación hegeliana. Lo esencial de una vida humana, lo que la diferencia de otras, puede estar en los pequeños gestos, mientras que «los grandes temas inevitables (la sexualidad, el amor, la religión, la profesión, el modo que el hombre tuvo de enredarse con su angustia) pueden no constituir en sí mismos sino vulgaridades excesivamente conocidas. Pero, no despreciemos la vulgaridad»[104].

Martín-Santos se interesa por esa vulgaridad que alcanza a todos los hombres, no por una única individualidad: «Releeremos nosotros con claridad nuestro doble punto de interés: el de las grandes banalidades enriquecidas por su significación colectiva y el de las sutiles soluciones individuales a los comunes problemas»[105].

Concluye el Prólogo propiamente dicho con un exordio sobre el lector caracterizándolo por su apropiación del texto y de los personajes, para ser aquello que no es: «para palpitar, para amar, para tocar el mundo de la mujer ajena»[106]. Para disimular su falta de vivencia.

Y como quien arroja un trozo de carne todavía palpitante a la fiera hambrienta, Martín-Santos obsequia al lector —al que probablemente no estaba destinado— como coda final un

103 *Ibid.*, p. 151.
104 *Ibid.*, p. 153.
105 *Ibid.*, p. 154.
106 *Ibid.*, pp. 154-155.

párrafo que podría haber correspondido al capítulo 2 de TD
pero que no aparece ni en el texto definitivo[107] ni en su
variante[108].

Esta estructura del Prólogo nos permite aventurar como
hipótesis que fue escrito con anterioridad al texto definitivo
de la Primera parte, tal vez coincidiendo con el inicio del
planteamiento de la novela y de la redacción del *Libro de familia de Demetrios*[109] y *Reflexión del narrador*[110] que debieron ser redac-
tadas previamente al tratamiento esquemático de la tercera
parte.

Otra hipótesis con cierto viso de verosimilitud es que si
Martín-Santos hubiera concluido su novela, posiblemente
no hubiera dado a la imprenta un prólogo no excesivamente
feliz. Hombre meticuloso debió redactarlo para fijar ideas.
Las novelas, efectivamente, no tienen ese tipo de prólogos
que evidencian estar destinados al consumo exclusivo de su
autor.

5. ELEA O EL MAR

Esta composición literaria —llamarla cuento o relato sería
estructuralmente excesivo— abre la edición de Apólogos.
Clotas la denomina «fragmento» lírico. ¿Por qué fragmento? El editor remite a un poema inédito del mismo
título y reivindica para Martín-Santos el oficio de poeta,
afirmación que, a nuestro juicio, no es descabellada. Bien es
verdad que sus primeros versos resultaron detestables incluso

---

107 TD, pp. 53-59.
108 *Ibid.*, pp. 241-248.
109 *Ibid.*, pp. 207-217.
110 *Ibid.*, pp. 219-231.

para su autor y que jamás volvió a dar a la imprenta sus poemas, pero Benet ya nos habla de su vocación poética nunca abandonada, aunque no parece valorarla mucho: «Luis —como decía— estaba introduciendo muchos cambios en su vida —*sans en avoir l'air*— y el que impondría un giro copernicano a su estilo literario no sería el menor; pero no por ello se desentendería de buenas a primeras de su inmediata producción anterior, una de las cuales —que estaba concluyendo cuando le conocí— consistía en un interminable y farragoso poema épico titulado *Las voces,* saturado de reminiscencias helénicas, escrito en unas hojas amarillas del tamaño de fichas de archivo totalmente ocupadas por los alejandrinos y que en ocasiones se echaba al bolsillo para rellenar algún hueco de la noche, y cuyos ecos podrá advertir el lector entre las páginas de la Walpurgisnacht que tiene lugar en casa de doña Luisa»[III].

Pero escuchemos la voz del editor y prologuista de *Apólogos:*

«Si bien los apólogos constituyen el cuerpo más importante de los que componen este volumen, se inserta antes un fragmento lírico titulado *Elea o el mar.* Esta página, de un lirismo quizá un poco convencional, nos pone en la pista de lo que es la clave del todo el lenguaje de Martín-Santos. Recuerdo mi sorpresa al leer por primera vez *Tiempo de silencio* cuando descubrí en la primera página unas frases que fácilmente se dejan transcribir en forma de poema, con imágenes y repeticiones mucho más propias del verso que de la prosa. Me permito citar el fragmento sin caer en la tentación de espaciarlo en forma de versos. Espero que al lector le divierta ser más audaz que yo»[112].

III   J. Benet, *op. cit.*, pp. 124-125.
112   AP, p. 15.

A continuación, Clotas nos propone un trozo de *Tiempo de silencio*, el correspondiente al retrato de D. Santiago Ramón y Cajal que preside el laboratorio. Siguiendo su indicación hemos intentado barrar el texto y salvo la utilización de un metro tan variable como aleatorio resultan vanos los intentos de subdividir el fragmento en endecasílabos o alejandrinos.

Una vez más Clotas ignora que la ruptura estilística de Martín-Santos reside en la utilización de uno de los tres tipos fundamentales de la retórica clásica: el período, cuya construcción es de carácter cíclico con una utilización exuberante de prótasis y apódosis. Clotas confunde estructuralidad con lirismo.

Pero Clotas, que pasará a la historia de la literatura en lengua castellana por haber desaconsejado la publicación de *Cien años de soledad*, aprovecha para darnos una lección —francamente discutible— de la influencia de la lírica en la prosa castellana. Podríamos aportar multitud de ejemplos *sensu contrario*, tanto de filósofos —Gracián— como de novelistas del XIX y XX, pero no es momento de perder el tiempo rebatiendo aventuradas teorías como la que a renglón seguido transcribimos: «Toda la obra revela un claro oficio de poeta: el ritmo de su prosa, las complicadas imágenes y comparaciones, las repeticiones, las alusiones gongorinas, etc. Por eso he querido iniciar este tomo con esta página de prosa poética cuyo tema corresponde al de un poema inédito que lleva el mismo título. Por otra parte, el carácter eminentemente lírico de la mejor prosa en lengua castellana es una constante en nuestra literatura. Desde Fray Luis a los mejores prosistas del 98 apenas encontramos, exceptuando quizá algunos escritores del siglo XVIII, una prosa equilibrada, fluida, sino una prosa cuyos recursos y bondades se deben a la poesía y cuyos modelos son probablemente poetas. Creo que la ausencia de verdaderos filósofos, con la contada y honrosas excepciones, y de escritores científicos, ha hecho de la prosa castellana una pariente pobre de la lengua de los poetas»[113].

Pero lo que nos interesa aquí es ese origen poemático del que Clotas nos informa y que, dicho sea entre paréntesis, lejos de dar calidad literaria al texto lo rebaja a un «fragmento» menor en la producción de Martín-Santos. Desventajas de la lírica, cuyo máximo riesgo es precipitarse en la cursilería.

Ya dijimos anteriormente que *Elea o el mar* tiene la virtud —a nuestro juicio, única— de informarnos sobre el concepto que Martín-Santos tenía de la mujer o, mejor aún, del papel sexual de la misma en las relaciones intersubjetivas.

El texto es puramente freudiano y, de ser literariamente significativo, sería acreedor de un estudio como el que el creador del psicoanálisis dedica a *El delirio y los sueños en la Gradiva de W. Jansen*[114].

El primer párrafo nos ilustra sobre una mujer inmóvil frente al mar como metáfora de la pasividad sexual femenina. El mar, fuerte y masculino —como en el poema de Nicolás Guillén[115] —gira y se agita. Las olas que vienen y van son clara metáfora de la cópula y del papel más activo y móvil del hombre: «Tú, Elea, por alguna extraña intuición que uno no llega nunca a ver claramente pareces una mujer marina, es decir una mujer que está inmóvil mirando al mar y que goza simplemente así, como si su destino fuera ese. La proximidad del mar te estremece y te conmueve. Tú tiemblas por la

113 *Ibid.*, pp. 15-16.
114 S. Freud, *El delirio y los sueños en la «Gradira» de W. Jensen, Obras Completas I*, pp. 589-633, Madrid, Biblioteca Nueva, 1948.
115 N. Guillén, *El son entero*, Buenos Aires, Losada, 1952, pp. 88-89: *El negro mar*: al pie del mar hambriento y masculino/al pie del mar.

proximidad del mar y esto nos hace sospechar lo que el mar para ti puede tener de simbólico. el mar es efectivamente una cosa inquietante y amplia que constantemente se agita y que se extiende alrededor de ti intentando acariciarte o casi raptarte. Es decir, tú amas esa sensación entre peligrosa y dulce de lo móvil, lo fuerte y lo masculino girando a tu alrededor mientras que estás quita y tus grandes ojos sueñan»[116].

El segundo párrafo es menos obvio, pero sus imágenes remiten a la maternidad y a la inmanencia. Elea teme el peligro e intenta que las aves —los hijos que vuelan y se pierden— vuelvan a su seno.

La guinda que corona la tarta de lo políticamente incorrecto es la frase que da inicio al párrafo tercero: «Pero tu cabeza tiene algo de fatigada porque tú piensas demasiado para ser mujer...»[117].

Luego viene una reflexión sobre la muerte: la muerte del mar y la propia muerte de Elea, que remite tanto a la muerte propiamente dicha como a la muerte como mujer y madre, es decir, al climaterio.

El resto abunda en símbolos freudianos: espuma blanca/esperma masculina, nadar/ansia sexual, boca/vulva, rojo de la sangre/menstruación, desfloración, parto, etc.

Mención a parte merece el inicio del quinto párrafo: «Por eso el océano te ama, porque tú lo comprendes y porque adivina en ti una extraordinaria capacidad de gozar»[118].

El comentario huelga. No cabe duda que Martín-Santos, en ciertos aspectos, tenía un elevado concepto de sí mismo.

En definitiva, un texto menor, prescindible, que, en manos de otro editor, o habría desaparecido o, cuando

---

116   AP, p. 23.
117   *Ibid.*, pp. 23-24.
118   *Ibid.*, p. 24.

menos hubiera sido relegado a un lugar menos preeminente que el elegido.

6. CONDENADA BELLEZA DEL MUNDO. ¿EL APÓLOGO QUE FALTABA?

Se incluye el comentario sobre un texto que al no formar parte de la edición de *Apólogos* permaneció inédito hasta mayo de 1986 en que fue publicado en *El Urogallo*[119]. Josefa Rezola, en su testimonio tan reiteradamente citado, lo denomina apólogo. Esta afirmación es, a nuestro juicio, errónea. Como veremos más adelante, los auténticos apólogos forman un *corpus* coherente, al menos los que Clotas denominó «apólogos cortos» (I-XXXII). En su momento señalaremos las diferencias con los cinco «apólogos largos» (XXXIII-XXXVII).

Tanto en sus aspectos estructurales como en los formales y de contenido, *Condenada belleza del mundo* se sitúa en el polo opuesto de *Apólogos*. Es, claramente, la crónica de un hecho vivido por Martín-Santos, cuando asistió, en el otoño de 1963, y pocos meses antes de su muerte, al rodaje de la película de su amigo Antón Eceiza, *El último verano* (el título con el que el film se estrenó fue *El próximo otoño*), producida por Elías Querejeta. El autor del guión y, a la vez, ayudante de dirección, era Víctor Erice.

El relato da comienzo con una descripción paisajística, en la que Martín-Santos enfrenta su yo con el mundo en una narración en primera persona. Nuevamente aspectos estilís-

---

119 *El Urogallo*, segunda época, n° 1 (mayo 1986), pp. 30-44. Previamente y de forma fragmentaria fue publicado en la revista de cine *Griffith*, n° 3 (3/12/1965), pp. 11-12 y n° 4 (4/1/1966), pp. 15-17.

ticos de Martín-Santos emergen en la narración como el uso permanente de cientifismos: grado higrométrico, integral térmica, físico-química, etc.

Mención especial merece una frase con resonancias premonitorias: «No creo en ti (en la condenada belleza del mundo); creo en la muerte. no creo que tras de ti se oculte la armonía; creo que el mundo es un caos esterilizador»[120].

Unos párrafos de transición dan paso a un giro copernicano al relato para hablar de la profanación del paisaje por el turismo y el inicio del rodaje.

De nuevo ese tono lírico que desde el principio impregna el relato —y que tanto le gusta a Clotas— debilita, a nuestro juicio, literariamente el texto.

Pero existen párrafos de un enorme interés. Martín-Santos reflexiona sobre la narración y sobre los personajes: «Precisamente al mostrar la historia como real es como demostraremos, no su imposibilidad, sino su inutilidad... La inverosimilitud de la historia es lo más importante»[121].

Este planteamiento —tan orteguiano, mal que le pesara a Martín-Santos— no es sólo un repudio del realismo canónico del momento es también la aseveración que la obra de arte desrealiza la realidad, se aparece como presencia absoluta. Pero, y concretando en artes bien definidas como la literatura o el cine, el patrimonio simbólico se estructura como un conjunto formado por construcción —más, ejecución. Construcción de «otra realidad» surgida de la desrealización de lo vivido, reducido a lo esencial y «reconstruido» de forma no imitativa, con elementos diferentes a los reales. Es la diferencia que va de lo vivo a lo pintado. nada en pintura es real, ni

---

120 *Ibid.*, p. 32.
121 *Ibid.*, p. 134.

siquiera en el figurativismo más ortodoxo o en el hiperrea-
lismo. La planaridad del cuadro no elimina la tercera dimensión únicamente; falsea las dos restantes para crear la ilusión
de aquella que falta. La manzana no es carne, es arpillera y
óleo, lienzo y acrílico, papel y acuarela. Parafraseando a Sha-
kespeare la literatura —y también el cine— está tejida con la
materia de nuestros sueños. El tiempo no es nuestro tiempo,
sino su abreviatura. La vida, los personajes y sus interrelacio-
nes quedan reducidos a su esencialidad. Esencialidad que
remite a la fábula, al apólogo, al ejemplo de un actuar ejecu-
tivo que tan perfectamente ejemplificó Cervantes en sus
Novelas Ejemplares. he ahí la grandeza de la ruptura literaria que,
frente un canon ramplón, frente una literatura hortícola,
llevó a cabo Luis Martín-Santos con *Tiempo de silencio*.

En *Condenada belleza del mundo*, el autor vuelve por sus fueros
y teoriza, muy acertadamente. Como acertadas son las indicaciones de Eceiza a su Director de fotografía: «La historia
es muy sencilla. Es la historia de un encuentro no edificante.
Por tanto, quiero que me hagas una fotografía ya sabes cómo.
Una fotografía profunda, matizada. Tiene que haber secuencias largas, reflexivas. tienes que ver cómo llega el personaje y
cómo se va. El personaje se va haciendo cargo, ante los ojos
de la cámara de su situación. Una vez que se ha hecho cargo
de ella, parece que cambia, pero este cambio no es más que la
comprensión lúcida de su situación. No es que realmente él
llegue a cambiar tal situación al asumirla. No; la situación es
más trágica. La situación asumida, al ser plenamente com-
prendida como no modificable, no puede producirle sino
vergüenza. El personaje está constantemente avergonzado de
sí mismo... y tiene razón[122].

---

122 *Ibid.*, p. 34

Imposible creer que el texto sea una trascripción fiel de algo dicho por Eceiza. Hay mucho de Martín-Santos en todo lo anterior. De nuevo asistimos a la desrealización artística de la realidad, a la cosificación del otro, a la conversión de un sujeto en objeto. Del personaje en un «recipiente lleno de vergüenza».

«La cámara tiene que moverse a su alrededor, para demostrar que es un objeto. Un objeto se caracteriza porque tiene arriba, abajo, delante, atrás. En cambio, no tiene interioridad»[123].

Pero, enseguida, Martín-Santos abandona el camino sartreano y cronifica de forma frívola y con un asombro un poco pueblerino las relaciones del equipo de rodaje, del director con su novia, la multitactancia (aventurado neologismo) con que se relacionan los peliculeros. Lo que sigue, es un poco manido, un tanto obvio, por más que Martín-Santos intente epatarnos con descripciones como la de la cámara y el carro del *travelling*: «El cíclope a ella viscero-táctil- fisionómicamente adherido servidor y amo. Todo depende de la perfecta coalescencia del ojo del cíclope vivo al esfínter posterior del animáculo vibrátil»[124], o cuando nos informa de la naturaleza de algunas «devoradoras de hombres» que cambian febrílmente de marido y cuya angustia inagotable «les permite como a las estrellas de mar echar fuera, por la boca, un estómago invisible y devorar con sus jugos pépticos la fuerza del nuevo macho en unos meses, para reabsorber de nuevo la víscera de quien las ha amado, que seguirá luego, con paso titubeante, intentando hacer creer a quienes le rodean que no ha pasado nada»[125].

123   *Ibid.*, p. 35.
124   *Ibid.*, p. 39.
125   *Ibid.*, p. 41.

La descripción, a la que no falta más que el cálculo matemático de la fuerza ejercida por el sistema ambulacral del equinodermo capaz de vencer la resistencia muscular del lamelibranquio, describe, precisamente, a la que pudiéramos denominar, usando la terminología al uso, compañera sentimental de su amigo Antón Eceiza. Desconocemos cual hubiera sido al reacción del susodicho caso de que el relato hubiera sido dado a la imprenta, en su momento; aunque es posible que Martín-Santos confiara en «las altas cumbres libertarias de la troupe cinematográfica... como falansterio carnal»[126]. Una vez más, nuestro autor resulta ser un tanto pacato y convencional, dando la impresión de oponer el mundo del cine al resto del mundo.

Y será el cine, en sus aspectos técnicos no especialmente bien conocido por Martín-Santos (llama «escenas» a las «secuencias» y escribe trawelling (sic.) con uve doble), el contenido de la última parte del relato. Planificación, movimientos de cámara, plan de producción, etc., hacen tedioso el texto. Al final, el autor vuelve por sus fueros para explicarnos los tres momentos dialécticos del miedo del protagonista a poseer a la bella extranjera. El terrible deseo es la tesis. «La antítesis es el terror de conseguirla, de caer en el pecado, de ser devorado por ella, de ser criticado por el pueblo entero, de dejar tu cerebro en la mandíbula de la destructora mantis...»[127]. La síntesis es el tercer momento conciliador. Martín-Santos, una vez más ¡y van mil! es incapaz de sustraerse al miedo a ser devorado. Una auténtica obsesión.

Y, al grito de «Acción» lanzado por Eceiza, concluye un relato que ni resulta apologal ni añade mayor mérito a la

126 *Ibid.*, p. 36.
127 *Ibid.*, p. 44.

obra de su autor. Su manuscrito, por razones que se nos escapan, estaba en manos del cineasta Mario Camus. Tal vez quedó en sus manos tras su publicación parcial en *Griffith*. Esta publicación inicial no había sido citada nunca, ni siquiera en un trabajo tan minucioso como el de Gorrochategui. Agradezco al director de cine donostierra Javier Aguirre el habérmela indicado.

7. APÓLOGOS PROPIAMENTE DICHOS. INTRODUCCIÓN

En el apartado titulado LA EDICIÓN DE «APÓLOGOS» hemos estudiado algunos aspectos relacionados con los mismos que no queremos repetir. El término «apólogo» aparece en dos de los relatos que serán luego motivo de estudio, en concreto en los denominados *La exploración del llano estacado* y *Comprensión*. No se trata pues de una denominación caprichosa. Recordar, únicamente, que los Apólogos propiamente dichos constituyen a nuestro juicio un *corpus* único, probablemente inacabado, cuya minusvaloración e incomprensión proviene, en buena parte, de la forma caótica en que fueron editados. Así, las explicaciones del editor rozan lo inadmisible: «El orden de los apólogos no tiene otra justificación que un oscuro instinto que me ha dado su repetida lectura. A veces por simple analogía en el título he reunido dos apólogos. Perseguir su cronología me ha parecido una tarea prácticamente imposible y más que nada, inútil; su misma brevedad y la semejanza que guardan entre sí hacen difícil la posibilidad de descubrir etapas en su redacción.

Me he limitado, pues, a colocar primero los más breves, y en segundo lugar aquellos que por su extensión quedan entre el cuento y el apólogo, renunciando a cualquier clasificación que exigiera preámbulos más objetivos. He incluido casi la totalidad de los inéditos, prescindiendo únicamente de algunos, muy pocos, que he creído que su autor tampoco hubiera dado a las prensas»[128].

Editar así, sin el rigor más mínimo, y sin tan siquiera intentar poner una ínfima cantidad de trabajo en el empeño, es tarea que podría abordar cualquiera. Pero esa actitud frívola, con ser grave y desinformar al lector, además de desconcertarle mezclando textos enormemente heterogéneos, no es nada comparada con la confusión que produce la teorización errónea que el editor incluye en su prólogo: «Las enciclopedias definen el apólogo como breve fábula o historia alegórica que sirve de vehículo para una doctrina moral o contiene alguna lección útil. Naturalmente, Martín-Santos usó este género con intención irónica y sarcástica, pero es curioso observar que incluso su novela posee una estructura similar. ¿No es *Tiempo de silencio* una fábula que permite al autor exponer su *doctrina* moral, política y literaria? Así podemos explicarnos mucho mejor el aire un poco guiñolesco de su anécdota, la falta de verdadera dimensión humana de sus personajes, casi muñecos que utiliza para darnos su lección útil»[129].

Efectivamente, ésa es precisamente la definición de apólogo. Efectivamente, ironía y sarcasmo son componentes fundamentales de *Tiempo de silencio*. Efectivamente, ironía y sarcasmo que son dos de las señas de identidad literaria de Martín-Santos están presentes en *Apólogos*. Y, efectivamente, cualquiera esperaría de su editor que nos dijera por qué lo están. Pero, efectivamente, no lo hace. Con lo cual reduce ironía y sarcasmo a su dimensión más frívola. No es para

128   AP, p. 17.
129   AP, p. 16.

hacer gracia por lo que Martín-Santos escribe *Apólogos*.
Hasta el más vacuo de los humoristas —y el autor de *Tiempo de
silencio* tenía algunos defectos, pero en modo alguno el de la
vacuidad— pone en sus páginas una cierta intención moral.
Escribiendo con propiedad, intención es aquello que sub-
yace, el fin último buscado, no la metodología utilizada.
Apólogos es una investigación moral de las actitudes humanas,
una disección, órgano por órgano, tejido por tejido, del
hombre como ser moral, y no desde una ética de valores
determinada, de una moral al uso, sino desde los planteamientos de Sartre en su famosa conferencia del Club Maintenant en 1945 y su plasmación en la ya citada obra de
Simone de Beauvoir, *Para una moral de la ambigüedad*: el hombre
es libre, el hombre es libertad, y como tal, construye —en la
acción— sus propios valores. Se convierte en legislador y sus
actuaciones tienen el sentido de propuesta moral para el
resto de los hombres. Esa libertad no conoce otra reproba-
ción que aquella que generan las conductas inauténticas.
Como luego veremos, *Apólogos* está lleno de ese tipo de conductas, como tendremos ocasión de ver.

Martín-Santos, sartreano hasta la médula, no cae —como
no cayó Sartre— en la tentación del fabulista dieciochesco.
No nos da ninguna solución ni norma moral concreta. Es
más, sus *Apólogos* son la negación de cualquier posibilidad
apologal que no entrañe mala fe. No hay soportes para la
elección moral. Ni siquiera la dialéctica. En temas morales,
la síntesis es imposible. Tampoco la ciencia y sus lenguajes
pueden generar afirmaciones apodícticas. La proposición de
Kierkegaard adquiere en *Apólogos* toda su dimensión.

Sartre definió el espíritu de la gravedad de Nietzsche, *le
esprit de la pesanteur*, el tomarse en serio, como una de las manifestaciones del modo de ser burgués. Martín-Santos ahonda
en esta valoración. En el esquema siguiente hemos resumido

algunos planteamientos presentes en los diferentes relatos que componen los *Apólogos*.

APÓLOGOS

LOS APÓLOGOS COMO NEGACIÓN DE CUALQUIER POSIBILIDAD APOLOGAL

LOS APÓLOGOS COMO PLANTEAMIENTO DIALÉCTICO
SIN POSIBILIDAD DE SÍNTESIS

NEGACIÓN DEL CARÁCTER APODÍCTICO DE LA CIENCIA Y DEL LENGUAJE CIENTÍFICO

No hay nada tan ridículo como que alguien se tome en serio

¿Por qué actuamos (casi) siempre *como* si las cosas no fueran como son?

Al observar un fenómeno tendemos a ocultar que sus manifestaciones o componente pueden llegar a ser infinitas

Cuando el observado es el hombre olvidamos lo más elemental: su libertad

Pero bueno será volver sobre las discutibles aseveraciones del prologuista que tan poco han contribuido a la comprensión de Apólogos.

De nuevo el término «fábula» es utilizado a la ligera al aplicarlo a *Tiempo de silencio*. Porque la literatura, la narrativa es, precisamente, el arte de fabular. Pero si el término se utiliza en su acepción dieciochesca es todavía más inadecuado. Tal utilización no tiene explicación salvo desde el canon del realismo social del momento que Clotas contribuyó a mantener. Pero por muy «realista» que sea la descripción de un labriego de la España profunda de finales de los cincuenta, de piel tajeada por la solana, zapatillas de esparto, pana raída y boina decolorada por el sol, esa descripción desrealiza la realidad, la reduce a su esencialidad. Decía Ricardo Baroja, criticando a Sorolla, que pintar «la luz» era una imposibilidad desde el punto de vista de la Física. Algo parecido podría decirse del realismo literario desde el punto de vista de la semiología. Para colmo, hay tantos cuadros como observadores y puntos de observación y tantas «literaturas» como lectores y lecturas. Llamar guiñol a *Tiempo de silencio* es no haber entendido a Martín-Santos. Pedro, su protagonista, no es ningún muñeco a menos que asignemos idéntica denominación al protagonista de *La náusea* o a las tres víctimas-verdugos de *Huis clos*.

De nuevo la afirmación aventurada en forma de crítica estilística o de influencia literaria se desliza en el prólogo: «Los *Apólogos* de Martín-Santos, escritos, al revés que su novela, con escasas preocupaciones estilísticas, reflejan su visión sarcástica y paradójica de la realidad muy próxima a la que expresa en su novela. A veces su lectura puede hacerse monótona por su aparente carácter anodino, parece no decir nada. El desenlace será siempre obvio o hermético; en ambos casos el lector corre el peligro de quedarse fuera.

En algunos he creído descubrir vestigios de las narraciones breves de Kafka, lo cual, si no puede tomarse como un dato fidedigno sobre sus fuentes, revela un claro parentesco espiritual, inesperado en cierto modo, entre los dos autores. Ignoro si Martín-Santos las había leído, pero me inclino a pensar que sí y aventuro que las tuvo en cuenta. Mi experiencia en la lectura de apólogos es limitada y puede que se trate de un caso de gatos pardos. Sin embargo, lo raro de este tipo de narraciones, en otros escritores actuales hace más verosímil la posibilidad»[130].

---

130 AP, pp. 16-17.

¿De dónde saca Clotas la falta de preocupaciones estilísticas? *Apólogos* tiene el estilo inconfundible de Martín-Santos. Como cualquier escritor que se precie, su autor conoce la fuerza de la palabra de estilo elevado, clave del éxito de *Tiempo de silencio*. A esa búsqueda se une la pretensión de toda obra de arte que aspire a serlo: la consecución de una presencia absoluta. La moral que (no) se nos propone es ambigua, pero esa ambigüedad nos es presentada —impuesta— con la fuerza de lo apodíctico. Lo que no cabía esperar, que estilo y construcción fueran idénticos en *Tiempo de silencio* y en *Apólogos*. Martín-Santos eligió, muy acertadamente, en cada caso lo que convenía.

De nuevo se nos obsequia con la «visión sarcástica y paradójica» tan cacareada, para, a renglón seguido aventurar que los *Apólogos* son monótonos y anodinos y que no los vamos a entender. Otro error, esta vez de falsa generalización.

Pero algo hay de verdad en una afirmación tan ineducada. *Apólogos* requiere una lectura cuidadosa y reflexiva. Una lectura a la búsqueda del que pudiéramos denominar «sujeto apologal», aquel personaje que unas veces aparece claramente señalado y otras oculto. Mucho nos tememos que lo que al editor pareció obvio sea realmente hermético y viceversa.

La influencia de Kafka es posible pero el claro parentesco espiritual entre Martín-Santos y el autor de *La metamorfosis* es un total dislate. Sus puntos de coincidencia personal y literario son, exactamente, ninguno. Las grandes preocupaciones de Kafka son la preterición, la degradación del hombre a niveles subhumanos, la tiranización por poderes absolutos, infinitos, inalcanzables e incluso de imposible identificación; y la inaccesibilidad de lo infinito. En el original de *La metamorfosis*, el insecto monstruoso en que se encuentra transformado Gregorio Sansa, es un «bicho», expresión con la cual los alemanes designaban a los judíos. Tiranizado por su padre, despreciado por su condición de judío, con su vida y su familia arruinadas por la guerra, minado por la tuberculosis, Franz Kafka es el polo opuesto de Martín-Santos, triunfador donde los haya. De seguro que este último había leído a Kafka, cuya primera edición argentina es de 1943, aunque pudo leerlo también en francés, y que lo valoró al máximo. Incluso pudo animarle a la utilización de estructuras literarias breves. Pero los contenidos de todas ellas son diametralmente opuestos a los de Kafka. Mucho nos tememos que la comparación nace del recuerdo. Hay en la edición argentina de *La metamorfosis*[131] un relato corto —*Una confusión cotidiana*[132]— que utiliza letras mayúsculas para designar personajes y lugares. Idéntico tratamiento es utilizado por Martín-Santos en uno de los apólogos —*Peripecias de una amistad*[133]—, es decir, la misma utilización de las mayúsculas. Pero ahí se acaban las similitudes. Ni todas las novelas cortas son «ejemplares» ni cabe predicar que sus autores son almas gemelas de Cervantes. La literatura comparada no es precisamente una materia fácil. «Desaforado y loco me parece el intento de dar cuenta de todo lo que importa en la historia de Agustín». Con este párrafo inicia Martín-Santos el Prólogo a *Tiempo de destrucción*. Una lección de teoría literaria. Desaforado y loco es el intento de dar cuenta de «todo lo que importa» del hombre en unas pocas páginas. Pero merece la pena intentarlo. Esa fue la grandeza de Martín-Santos a lo largo de toda su obra. Esa es la grandeza de la literatura.

131 F. Kafka, *La metamorfosis*, traducción y prólogo de Jorge Luis Borges, Buenos Aires, Losada, 4ª edición, 1962.
132 *Ibid.*, pp. 155-156.
133 AP, pp. 50-53.

8. Apólogos breves

AP-I: historia de amor (*Comportamiento de un maestro al que una alumna expresa públicamente su amor*)

En este primer apólogo, Martín-Santos plantea el comportamiento del profesor al que una alumna, de forma pública, declara su amor, corroborando incluso su sentimiento en una carta.

El «sujeto apologal» es, en este caso, evidente: el maestro. La elección de un profesor remite a alguno de los ejemplos expuestos por Sartre en *Bosquejo de una teoría de las emociones*[134].

Si el maestro se indigna o si su ego se siente realizado y halagado —las dos reacciones esperables— no es puesto de manifiesto: el maestro actúa «como sí» el episodio no hubiera tenido lugar, es más, se reviste de una capa de imparcialidad.

La clave del apólogo está en el último párrafo: «Él, que era un maestro consciente y respetable, prestó especial atención a sus pruebas de capacidad a fin de curso y habiéndola encontrado suficientemente preparada, no tuvo inconveniente alguno en aprobarla»[135].

El maestro, claramente es un farsante.

AP-II: niña paseando por el monte[136] (*Una reflexión sobre la proposición de Kierkegaard: la ciencia es incapaz de explicar el comportamiento humano*)

---

134 J. P. Sartre, *Bosquejo de una teoría de las emociones*, Madrid, Alianza Editorial, 1971.

135 AP, p. 27.

136 *Ibid.*, p. 28.

Una niña pasea sola por el monte, recogiendo flores de varios colores. El narrador (observador) intenta descubrir la ley que rige la recolección. Este empeño se le antoja arduo, cuando no imposible. El observador —que es aquí claramente el «sujeto apologal»— estudia varias posibles explicaciones:

- Porcentajes de cada color. Abundancia. Alternativamente, la niña puede coger las más abundantes o, valorando su rareza, las que lo son menos.

- El simple azar.

Es obvio que podríamos apuntar infinitas manifestaciones del fenómeno, además de las ya citadas, p.e.: la niña es daltónica, padece acromatopsia total, las flores de un color son más grandes, más bonitas, más olorosas...; la niña gusta de combinar colores, como su falda, como el vestido de su muñeca, como la bandera nacional; la niña es muy miope, casi ciega...; la niña coge las que encuentra en su camino, según la ley del mínimo esfuerzo... La relación no acabaría nunca. El problema se reduce a que la niña es libre. Puede decidir, en cada momento, flor tras flor, cual recoge luego. De ahí la imposibilidad de encorsetar en una formulación científica su libertad[137].

AP-III: el médico y el paciente (*Una reflexión sobre el encontrarse del «ser-ahí» como «ser-para-la-muerte»*)

El médico reconoce con todo rigor profesional al paciente. Concluido el examen trata de inspirarle confianza. Pero el paciente —en este caso el «sujeto apologal»— sabe que «su cuerpo camina de un modo continuo hacia la muerte»[138].

---

137 Este apólogo ha sido comentado específicamente en J.Morrison, «Structure and meaning of the Apólogos of Luis Martín-Santos», *Anales de la Literatura Española Contemporánea* (ALEC), 15 (1990), 97-108, pp. 99, 100.

138 AP, p. 29.

Es obvio que el médico cosifica al paciente, convierte el para-sí del otro en en-sí. Jane Morrison nos dice «The doctor in *El médico y el paciente* "palpa, mira, escucha y mide" reducing the patien to his lowest terms or component parts»[139]. La desnudez del paciente y su denominación como "objeto" de las observaciones del médico nos remite al fenómeno de la mirada[140].

Pero este planteamiento, con ser importante, no impide, al referirlo al paciente, convertirlo en sujeto apologal. Ni tan siquiera la ocultación de la verdad por parte del médico —que no es otra cosa que la exclusión de la muerte de lo cotidiano y su falsificación como muerte-de-otro— puede impedir la captación del ser-ahí del paciente como ser-total, ni el paso desde su estado de "yecto para la muerte" a su reconocimiento como ser-para-la-muerte[141].

AP-IV: ave fénix *(Detrás de una aparente esperanza vana en la resurrección, hay un planteamiento mucho más profundo: la libertad como autoinmolación)*

El mito del Ave Fénix es aplicado a «los (hombres) más osados» que se arrojan a la pira de la autodestrucción con la idea de una resurrección más brillante.

Hay una primera lectura del apólogo como visión irónica de la *no superación del miedo a la muerte* y la esperanza vana en algún tipo de resurrección. Pero no es aventurada una mejor interpretación. Aquellos que a sí mismos se creen aves *fénices*[142] viven la libertad, primero como tentación, después como autodestrucción, como autoinmolación. Su esperanza

---

139 J. Morrison, *op. cit.*, p. 100.
140 LTT, p. 185.
141 AP, pp. 126-127.
142 *Ibid.*, p. 30.

es resurgir como «hombres nuevos», dotados de un proyecto. Su desaparición —naturalmente definitiva— lo es del
entramado social. Los hombres sensatos —los hombres al uso,
los burgueses, los hombres de mala fe— mueven cachazuda-
mente la cabeza, satisfechos por no haber sucumbido a tales
tentaciones (la asunción de la libertad). Continuarán cabal-
gando en la facticidad de lo cotidiano.

Ni que decir tiene que ambos planteamientos no son ni
antitéticos ni excluyentes. Aves fénices (hombres libres) y
hombres sensatos (hombres al uso) son los «sujetos apologales».

Jane Morrison señala con respecto a este apólogo; «*Ave
Fénix* is a metaphor for those vain enough to believe that they
have control over life and death»[143].

AP-V: el jugador de la pelota *(La vida como repetición monótona de actos sin sentido)*

El jugador de pelota juega solo en el frontón. Una y otra
vez lanza la pelota contra la pared. La pelota rebota, el jugador recoge y vuelve a lanzar. Los viandantes se detienen y le
contemplan. Falla y la pelota rueda por el suelo. el jugador
reinicia el proceso pero: «Los viandantes, habiendo comprendido cuál es el objeto de su esfuerzo, reanudan su marcha y desaparecen»[144]. Con esta frase concluye el apólogo.
Los espectadores comprueban que el sentido del esfuerzo es
¡ninguno! La vida como repetición mecánica de actos sin
sentido carece de interés. Ese carácter repetitivo y vacío es
puesto de manifiesto en el error. El fallo destruye la continuidad y permite la reflexión.

---

143 J. Morrison, *op. cit.*, p. 105.
144 AP, p. 31 .

El jugador es un hombre alienado en la facticidad de la acción que es un pseudoproyecto vacío. Los espectadores, que han comprendido el sentido del apólogo, le abandonan. El jugador se autoengaña: piensa que lo que hace es importante, y no lo es.

Jane Morrison, en su artículo citado, remite al observador y su planteamiento reduccionista: «The scientific observer / narrator does not attempt to link the actions together based on some a priori notion of what he is observing. Such deductions come only at the end of a lengthy period of data collection. This reductionist langague indicates that the ball-player has been "reduced" to an object of scientific observation and study. The complexity and meaning of the actions are of no apparent interest»[145]. Es obvio que esa cosificación del objeto estudiado por el científico está en casi todos los apólogos. Sin discrepar del juicio de J.Morrison, creemos que nuestra interpretación es más enriquecedora y menos repetitiva.

AP-VI: el púdico Mamerto[146] (La vida como una representación obscena)

Mamerto, empresario del espectáculo, atraviesa una crisis moral. Se siente responsable de su espectáculo integrado por un joven actor de carácter, una canzonetista de cabaret y una danzarina egipcia que interpreta la danza del vientre. Considera que esa exhibición de una parte "espiritual" del ser

---

145 J. Morrison, op. cit., p. 99.
146 No hemos encontrado ningún personaje histórico de interés que ilustre sobre la elección del nombre de Mamerto para nuestro púdico empresario. El santo patrón así llamado, San Mamerto obispo, vivió en el siglo V, combatió el arrianismo y fue el creador de las rogativas. No parece que las coincidencias sean excesivas.

humano es obscena. Por el contrario, la exhibición del cuerpo es mucho más moral.

«Mamerto pone, pues, ahora en la plataforma giratoria de su circo, cuerpos desnudos de mujeres que, por simple capricho esteticista, procura que sean jóvenes y hermosos»[147]. Esta vez la clave del apólogo está en su primera frase: «Todo artista que se ¡¡¡produce!!!¹⁴⁸ en público... exhibe ante los demás algo que le pertenece»[149].

Producirse significa generarse y en una doble dirección: auténtica e inauténtica. Tanto en un caso como en otro, el hecho mismo de la exhibición es obsceno. De nuevo nos encontramos aquí con el sartreano *Bosquejo de la teoría de las emociones*. Entre un sentimiento que se siente y otro que se representa no hay diferencia. Es más, pasar de un sentimiento auténtico a otro inauténtico es un riesgo permanente. Un dolor auténtico nos pone en situación, falseándose y magnificándose. El hombre se crece en las emociones inicialmente sinceras, cabalga sobre ellas, las magnifica y acaba convirtiéndose en un farsante que lanza vivas alborozadas en las bodas y llora en los entierros. Frente a la impudicia de las actitudes, el cuerpo desnudo e inmóvil resulta angelical. Cualquier profesional de la pornografía lo sabe a la perfección. Por ello, tanto los tres artistas como Mamerto son los sujetos apologales.

Hemos hablado de representación y conviene aclarar muy bien sus diferencias con una actuación teatral, tan bien estudiada por Denis Diderot en *La paradoja del comediante*[150]. El actor perfecto no «vive» las emociones: las «representa». Caso

---

147 AP, p. 33.
148 Los signos de admiración son nuestros.
148 *Ibid.*, p. 32. El apostillado es nuestro.
150 D. Diderot, *La paradoja del comediante*, Madrid, Calpe, 1920 (Colección Universal, n° 308).

contrario, si se deja llevar por la emoción, la representación será un desastre.

Una interpretación menor del apólogo sería la del artista enfatuado por su arte, que confunde arte y vida, representación con proyecto. algo que nos remite al *esprit de la pesanteur*, tomarse a sí mismo en serio como farsa consustancial al modo de ser burgués.

AP-VII: el gran gonfaloniero[151] Mangoldo[152] *(Una reflexión sobre la autenticidad de las posturas humilde y orgullosa)*

Mangoldo desata las iras de sus coetáneos, que le acusan de un orgullo execrable. Esta actitud de sus convecinos estaría plenamente justificada si la descripción subsiguiente no fuera la de una actitud humana, bondadosa y caritativa.

Este apólogo plantea algo que ha sido motivo de polémica: es imposible saber si tras los harapos de un cínico no se oculta un gran orgulloso, si el probrecito de Asís en su santidad es producto del amor, la bondad y la caridad o del egoísmo y de la búsqueda exclusiva de la salvación individual y de la santificación. Es imposible dilucidarlo, porque ambas actitudes son la misma. Así es, si así os parece. Somos como el otro nos ve. No podemos sustraernos a la angustia de la

151 Gonfaloniero equivale a Confaloniero. Hay algunos Confaloniero y Confalonieri famosos: Juan Butista (siglo XVI) fue un médico famoso; Conrado (siglo XVII) sacerdote, filósofo y teólogo; el Conde Federico vivió a caballo entre los siglos XVIII y XIX y fue un gran patriota. Pero no parece ser ese el sentido. Confalón es el nombre de una cofradía dedicada a la liberación de cristianos cautivos del yugo sarraceno. Confaloniero es el que lleva el estandarte, el confalón. Finalmente, y ésta debe ser la interpretación adecuada, confaloniero era una dignidad eclesial concedida a personas de gran nobleza e influencia. Se denominó también así, siempre en Italia, a los magistrados municipales.

152 Mangoldo es nombre que carece de antecedentes históricos. Creemos, fue elegido por razones de eufonía con gonfaloniero.

duda. El juicio de los demás no nos ilustra sobre la corrección de nuestros actos y, sin embargo, estamos obligados a predicar con el ejemplo a proponer una moral.

Hay una frase clave en el apólogo:

«Cual si solo él estuviera en posesión de la verdad, del valor y de la gloria, compone cuidadosamente sus ademanes de modo de no dejar transparentar sino una actitud plenamente serena y hasta humilde, dentro de una discreta dignidad»[153].

Si realmente Mangoldo actúa imbuido del convencimiento de estar en posesión de la verdad y del valor, suyos sean el poder, la gloria y la indignidad: es un farsante y sus convecinos tienen todo el derecho a indignarse. Pero, y mucho nos tememos que eso sea lo más previsible, los vecinos de Mangoldo saben de la vanidad de las dignidades mundanas, saben que no son mejores que la vieja mendiga a la que Mangoldo bendice y llama buena madre. Entonces, los farsantes son ellos, y el sujeto apologal Mangoldo. Y, en el caso anterior, a la viceversa.

Este planteamiento, el reconocimiento de *el otro*, como ser *en-sí*, es decir como sujeto ontológico y no como objeto es tan fundamental en Sartre como en Martín-Santos. Aunque no haya una moral de valores, si hay una verdad ontológica capaz incluso de deshacer el solipsismo: eso conlleva que las posturas racistas, xenófobas y las guerras de religión son todas de mala fe. Sartre ejemplifica esa mala fe en el personaje del senador en *La puta respetuosa*[154].

AP-VIII: los fabricantes de infiernos *(No hay mayor suplicio que soportar la estupidez ajena)*

153 AP, p. 34.
154 J. P. Sartre, *Teatro I*, Buenos Aires, Losada, 1958.

Estamos ante el más atípico de los apólogos. Requiere, por tanto, de un mayor análisis, comenzando ya desde las primeras frases:

«Uno de los modos como el hombre ha demostrado el poder de su imaginación ha sido aplicándose a las descripción de infiernos. Algunos escritores de genio y otros menos penetrantes han dedicado su atención al tema»[155].

¿A qué y a quiénes se refiere Martin-Santos al hablar de escritores que han tratado el tema del infierno? Desde luego, no únicamente a Dante.

En los últimos días de 1959 Jorge Luis Borges y Adolfo Bioy Casares firman el prólogo de su antología, Libro del Cielo y del Infierno[156], que Editorial Sur publicaría en 1960. En dicha antología aparece una enorme selección de textos de autores de todas las épocas. Si Martín-Santos la leyó, debió fascinarle, como a cualquier lector. Un texto profundamente irónico del propio Bioy, entresacado de *Guirnalda con amores* (1959), enlaza con los planteamientos de nuestro autor. De nuevo, ahí acaba la similitud. Otro texto de posible influencia es *El artista adolescente*[157] de J. Joyce de tan temprana recepción en España, en la casi reproducción de los textos de los Ejercicios Ignacianos sobre las postumerías.

Pero eso no preocupa mucho a Martín-Santos, que prefiere hablar y considerar más indicativos, los tormentos morales que los físicos: «Puede ser considerada la invención de infiernos como un útil instrumento para conocer al hombre»[158].

155 AP, p. 36.
156 J. L. Borges y A. BioyCasares, *Libro del Cielo y del Infierno*, Buenos Aires, Sur, 1960.
157 J. Joyce, *El artista adolescente*, Madrid, Biblioteca Nueva, 1926.
158 AP, p. 36.

Así mismo, nuestro autor, irónicamente comenta la asimetría temporal entre placeres efímeros y tormentos eternos, hay, también, «una grave contradicción en yuxtaponer las nociones de dolor y de aburrimiento»[159]. Algo similar, ¡al fin!, a lo que Kafka plantea en una de sus narraciones breves; Promoteo[160].

Pero, como en cualquier narración que se precie, la sorpresa está al final. Martín-Santos nos propone un suplicio breve que no precisa de la noción de eternidad.

El réprobo es un artista. Trabaja febrilmente en su obra y, a medida que va avanzando en su realización, se angustia; la obra es fallida. Toda obra suya lo será.

La persona amada se acerca. Una mujer, claro. Sonríe y exclama: «¡Qué hermosura!». El artista experimenta el sencillo suplicio de comprobar que su amada es tonta (de nuevo la incorrección política de Martín-Santos al valorar a la mujer).

La angustia del artista —que la amada tonta es incapaz de comprender— le hace dudar de su capacidad. Si se enfatuara, el tonto sería él.

AP-IX: el cementerio considerado como lugar de meditación (*La meditación como revivir en el recuerdo. El sentimiento como máscara*)

Con un título que parafrasea la famosa obra de Tomás de Quincey, Martín-Santos nos ilustra sobre el contenido de las meditaciones: el recuerdo.

La joven viuda que, cubierta por un velo, lleva a diario flores a la tumba de su esposo.

---

159 *Ibid.*, p. 37.
160 F. Kafka, *La metamorfosis*, Buenos Aires, Losada, 1943, p. 151.

Medita, y tal vez, imagina escenas y las recrea, las desrealiza y las reconstruye, las optimiza, transforma la realidad en ensoñaciones amables. ¡Era un buen hombre!, suele decir la viuda gimoteando más o menos al evocar ante los otros al verdugo de su libertad y, se «coloca apresuradamente la máscara del dolor»[161].

Así, que tal vez, la meditación es un regocije, un sentarse a la puerta para ver pasar el cadáver del enemigo, un sentarse en su tumba para constatar que está muerto.

Y resulta que, buscando nuevamente el efecto final, así concluye el apólogo:

«—Aprecié a su esposo —digo—. Era un hombre estimable.

—Era un ser odioso —me contesta—. Arruinó mi vida»[162].

La conclusión apologal es que no todo es lo que parece; y que los sentimientos humanos, amén de ser bastante complejos, pueden ser sinceros o ser una máscara. Incluso, ambas cosas a la vez.

AP-X: trabajos de un escultor *(Una reflexión sobre la inutilidad del esfuerzo artístico. El artista, un nuevo Sísifo)*

Bajo una historia aparentemente superficial, aparecen varias interpretaciones.

«El escultor tiene en el suelo de su estudio una indeterminada pieza de metal»[163]. Así da comienzo el apólogo.

El escultor cumple un complicado ritual: se viste con traje de faena y toma datos del *espacio* que le rodea. Temperatura, presión, humedad, etc. Traslada sus datos a una fórmulas producto de la experiencia y calcula la dirección exacta del norte magnético. (No se olvide que la pieza es de metal).

---

161 AP, p. 39.
162 *Ibid.*
163 *Ibid.*, p. 40.

Medita, mira la pieza y la levanta con sus brazos. El exceso de peso la hace caer en posición ligeramente diferente de la inicial. Tiene que hacer ahora sus mediciones y cálculos de nuevo.

La primera interpretación puede ser la propia definición de la escultura como ruptura del vacío, como separación del espacio, como distribución espacial de la materia.

La segunda indica el carácter inacabado de la obra de arte que, una vez concluida, exige un nuevo tratamiento, una nueva obra.

La tercera nos plantea la incapacidad del artista para crear algo nuevo. Está condenado, como Sísifo, a repetir, vez tras vez, los mismos movimientos infructuosos. Así, toda obra de arte es, a la vez, repetitiva y fallida.

AP-XI: trabajos de un pintor (*La creación artística como reflexión. La obra total como imposibilidad metafísica*)

Estrechamente relacionado con el apólogo anterior, asistimos en este a la creación pictórica.

De nuevo, esta creación sería una irrupción en la nada. En la nada. El proceso reflexivo del artista da paso a la creación, pero, en modo alguno es la creación misma. Ésta se configura como una irrupción en el plano, como una oposición de material y de color sobre el blanco. Si esa acción no tiene lugar —como es el caso en el apólogo— no hay obra de arte.

Este planteamiento lleva nuevamente a Sartre. No hay más que aquello que se realiza. El genio de Proust viene dado por el conjunto de las obras que escribió y que conocemos. Ni una más, ni una menos. No por aquellas que imaginó o que no quiso o no pudo escribir.

AP-XII: costumbres extrañas de algunos pueblos primitivos *(Una visión irónica de determinadas actitudes de algunas comunidades territoriales que, en algunos casos, son bastante más generales de lo que parecen)*

Este apólogo, muy, muy menor, por su obviedad y falta de interés sigue el mismo esquema estructural que otro: exposición acumuladora y final chirriante.

Los cuatro pueblos mencionados: *los caledonios, los arios, los ibéricos* y *los sirocos* no parecen asombrarnos nada. *Los* caledonios desecan al sol una col y alimentan con este pienso a los pollitos. *Los arios* son temidos por virtuosos si mutilan al enemigo (¿Referencia al holocausto?). *Los ibéricos* matan, con arma blanca, a un toro en una plaza reducida (Martín-Santos repetirá el tema de la fiesta nacional, cuyo sentido no entiende muy bien, en otro apólogo largo, tauromaquia). Los *sirocos* consideran que la sangre de virgen es virtud de varón (si se refiere, como parece, a la sangre de la desfloración, a los *sirocos* había que añadir el 99% de los pueblos primitivos de la tierra y un considerable porcentaje de los civilizados).

Y el chirriante y sorprendente final llega en forma cervantina, de edad de oro y arcadia feliz: hay un pueblo de cuyo nombre no puede acordarse cuyos bondadosos moradores se sonríen entre ellos y se fían de otros.

Demasiado viaje para tan ligero equipaje.

AP-XIII: gloria íntima *(Una ironización sobre «el rey de la casa»)*

La casa de hombre es un castillo y él es el rey. Esa «gloria íntima» se desarrolla y adquiere toda su extensión entre los suyos: la familia y el servicio doméstico.

De nuevo la esposa, con su mirada bovina y obediente[164],

---

164 *Ibid.*, p. 45.

da testimonio de la concepción machista de la mujer omni-presente en la obra de Martín-Santos.

Tampoco, esta vez, el interés del apólogo es excesivo. Su obviedad es manifiesta; y la sorpresa final, no es tal.

El enfatuamiento en el hogar —y el título, Gloria íntima, parece conllevar la petición de principio de que fuera de la intimidad la gloria queda en nada e incluso se convierte en sumisión— no despierta un gran interés, por más que el análisis del enfatuado sea una constante en apólogos. Curioso planteamiento en Martín-Santos entre cuyas virtudes no estaba, precisamente, presente la modestia.

AP-XIV: la educación de los hijos (*Una refutación de la Pedagogía como ciencia*)

Martín-Santos que, desde su actividad como psiquiatra, sabía mucho del tema, refuta el enfatuamiento —¡otra vez!— de la Pedagogía como ciencia; y de paso, el de cualquier otra ciencia.

Fiel a los postulados psiquiátricos que reivindican como fundamental el «principio de realidad» propone lo que Jane Morrison califica como «three proofs of a simple model are postulated»[165].

Esta triple y modesta proposición reivindica, frente al carácter apodíctico de la ciencia, el menos común de los sentidos: el sentido común.

AP-XV: la justificación (Nada hay sí previamente no ha sido llevado a cabo. La creación artística como realización, no como ensoñación. El enfatuamiento del artista).

El narrador se declara incapaz para escribir una obra

---

165 J. Morrison, *op. cit.*, pp. 102 y 103.

maestra. Martín-Santos repite en este apólogo lo ya tratado en los casos de la escultura y la pintura (X y XI). La explicación, en este caso, es altamente ilustrativa. La incapacidad puede ser debida a dos causas: falta de dotes naturales o falta de vigor moral para poner los dotes en acción. En cualquier caso, se trata de una explicación *a posteriori*, de una autojustificación. Martín-Santos riza el rizo: incluso puede ser que entre esos dotes naturales resida el vigor moral.

En la ensoñación analizamos —falazmente— nuestra incapacidad. Pensamos que hay «algo» —ajeno a nosotros— que nos imposibilita la acción. Nada más falso. Como adelanta nuestro autor, todo depende de nuestra voluntad. Así pues, a la amargura del fracaso se une la del «pecado», ya que somos totalmente responsables de nuestro fracaso (algo que Pedro intuye muy claramente en *Tiempo de silencio*).

Un nuevo rizo de rizo da fin al apólogo. El «pecado» puede convertirse en «acto virtuoso y heroico». La obra maestra nos precipitaría en el orgullo y esa pasión incurable nos roería como un cáncer espiritual, destruyendo los aludidos dotes naturales. Con esta explicación tan simple como falsa, el narrador tranquiliza su espíritu, acepta su fracaso, y se queda tan satisfecho.

AP-XVI: peculiaridades caracterológicas (*Una crítica al determinismo en las conductas humanas*)

A este apólogo dedica Jane Morrison dos párrafos en su artículo tan reiteradamente citado.

En el primero dice: «In Peculiaridades caracterológicas, false assumptions about a personality trait are presented and then counter-arguments provided»[166]. Una peculiaridad

---

166 *Ibid.*, p. 102.

caracterológica se reconoce: 1º) como existente, 2º) como indeseable y 3º) como corregible.

Martín-Santos ironiza y refuta —con toda razón— que el «carácter» pueda justificar nada, ni dar origen a determinismos de ningún tipo. Sartre se había manifestado, reiteradamente, en el mismo sentido. Nuestros actos nacen de la libertad y ese punto de partida nos hace totalmente responsables.

Tampoco hay nada que corregir por dos razones: la primera, porque la corrección no puede tener lugar más que en la acción. El dualismo potencia-acto queda reducido a la nada. Esa es una de las mayores consecuciones de la ontología fenomenológica. La segunda, porque como apunta Martín-Santos y repite J. Morrison, «El hecho de que los demás consideren tales peculiaridades de mi carácter como indeseables, no lleva como corolario absolutamente inevitable el que yo también las abomine»[167]. Esta crítica del exterior no es solamente inaceptable, es superflua. La opinión de «los otros» cuenta, pero sobre los actos, no sobre las potencias que, irónicamente, Martín-Santos califica como gentil adorno y señas de identidad de la persona.

AP-XVII: peripecias de una amistad (*Una reflexión sobre la falsedad y la competitividad en las relaciones interpersonales, incluso en el caso de la amistad*)

Nos referimos ya a este apólogo —bastante más largo que otros— en relación con ciertas semejanzas (la utilización de A, B, y C mayúsculas para designar a los personajes) con un relato breve de Franz Kafka.

La relación de amistad entre A, B y C es cambiante. En un momento determinado, se producen alianzas dos a dos,

---

167 *Ibid.*, p. 105.

en las que el tercero queda descolocado. Pero, esa alianza acaba rompiéndose. Uno de ellos observa con recelo como el segundo se llena de orgullo e intenta ocupar una posición dominante. Un etólogo, más o menos determinista, nos diría que esa es la tendencia natural en una sociedad gregaria. En cualquier caso, la alianza se rompe y se reconstruye, agrupando esta vez al primero y al tercero y aislando al segundo. Esa falsedad en los comportamientos, que llegan incluso a la traición —como luego veremos— está perfectamente explicada por Martín-Santos y refleja a la perfección los comportamientos en reuniones de amigos, tertulias y todo género de relaciones multipersonales basadas en la amistad, la afinidad político-ideológica y, también, el corporativismo de las diferentes profesiones y, en especial, la literaria.

Fiel a la técnica reiteradamente empleada —que permitiría considerar a alguno de los relatos como cuentos— del final sorprendente, este apólogo concluye con la traición de un personaje al que Martín-Santos aplica su subsiedaridad machista: la amiga de C que acepta los regalos y los halagos de A... como antes aceptó los de B.

AP-XVIII: el amor totalmente explicado (*El amor, como cualquier otro sentimiento, se resiste a ser estudiado científicamente*)

La filosofía, desde los atomistas, ha venido postulando límites a la división de lo real, tanto si el ser se concibe como un fenómeno que no es otra cosa que el conjunto infinito de apariciones, como desde el punto de vista más sustancialista y transfenomenal.

En otras palabras, y utilizando un lenguaje vulgar, si la materia o los hechos se pulverizan, entonces lo que queda no es ya materia ni hechos: es polvo de materia, polvo de hechos.

Reducir algo tan complejo como el amor (o la angustia, el miedo, el dolor, el placer, etc.) a una serie de actitudes y expresiones gestuales no posibilita su conocimiento; incluso nos introduce en la ceremonia de la confusión.

Jane Morrison, en su artículo atado dice: «In El amor totalmente explicado, the narrator deduces a complex emotional state to a number of its more concrete and superficial component parts.... It is assumed by the narrator that here are verifiable rules or laws of nature, including human nature, to be discovered»[168].

Acabará poniendo de manifiesto el carácter autoritario del narrador en la esperada sorpresa final. Pero no adelantemos acontecimientos, ni siquiera sobre un proceso de autoacumulación tan característico de las emociones. El narrador omnisciente y autoritario desnuda el amor y lo reduce a la gestualidad, aunque más correctamente deberíamos decir que emerge desde una ausencia total del sentimiento y va desgranando los gestos, uno a uno, con una intención «científica» previa confesión de su desconocimiento.

Hay luego, una finta, una trampa para buscar el final brillante. Argucia intolerable en un escritor de su talla. Resulta que la investigación no es introspectiva, sino que busca conocer el sentido del amor en *el otro*, en la mujer teóricamente amada (o mejor «burlada» en el sentido tradicional del término, pues se la ha reducido a al condición cobayesca de animal de experimentación).

Ahora sí retomamos a Jane Morrison, que concluye: «*El amor totalmente explicado*», ends with the statement, «De este modo he llegado a conocer que el último secreto que el amor revela no es una verdad ni un error, sino una duda». The

---

168 *Ibid.*, p. 99.

conflict between the *total explanation* and *the doubt* revealed through the experimental process is apparently lost on the authoritative narrator[169].

Martín-Santos da a la frase «¿me quieres?» casi consustancial al diálogo amoroso una connotación obscena. Aunque ironiza habla, como siempre, muy en serio y, a veces, y pese a su gran capacidad profesional le traiciona el subconsciente. Por más que un psiquiatra está obligado por oficio a ser optimista, no puede disimular su ser desencantado y desesperado.

AP-XIX: realización de un deseo *(Hasta el pecador más habitual y recalcitrante gusta de ser, alguna vez, virtuoso)*

En su ya citado artículo, Jane Morrison insiste en señalar como en Apólogos, el narrador —omnisciente y autoritario— desarrolla casi siempre un conjunto aparentemente lógico de argumentos, adoptando un tono explicativo. Esta explicación es, a nuestro juicio, muy cierta. Martín-Santos juega con el lector acumulando argumento tras argumento, descripción tras descripción. Cada uno de ellos enlaza con el anterior y obliga a asumir el siguiente. Demuestra así su gran habilidad de encantador de serpientes literario.

Dice Jane Morrison: «*In realización de un deseo* the narrator begins with the assumption about everyday life which he develops on the basis of other equally questionable assumption»[170].

El tedio de la vida cotidiana da lugar a pocas satisfacciones. Es bueno procurarse un placer inesperado. Ni la borrachera, seguida de servicios a la cónyuge, ni el senderismo, el turismo cultural o museístico, ni tan siquiera la gastronomía

169 *Ibid.*, p. 103.
170 *Ibid.*, p. 99.

parecen complacerle. Predicando con el ejemplo, nos informa de la realización de un deseo como placer inefable. Al volver a su casa, tropieza con una prostituta que le ofrece sus servicios y a la que describe como muy deseable. Él, amablemente, y con el pretexto de un hijo enfermo, los rechaza. Obtiene así el placer —tantas veces insatisfecho— «demostrarse a sí mismo que es un hombre entero y virtuoso».

AP-XX: razonamiento *(Introspección y autoengaño)*

¿Es fiable el espejo? Esa superficie bruñida que Borges en *Tlön, Uqbar, Orbis Tercius* definió como abominable (*Copulation and mirrors are abominable*, leyó Bioy en un falaz tomo de la *Angloamerican Cyclopedia*), no nos refleja: es nuestro *en-sí* lo que nos devuelve, nuestro yo convertido en cosa. En un fondo abominable la conciencia, el *para-sí*, se oculta tras una mueca.

Martín-Santos reflexiona sobre una propia sonrisa congelada en una fotografía —que no es otra cosa que un espejo petrificado en el tiempo—; ¿esa sonrisa, esa mueca de felicidad es verdadera? —se pregunta— ¿o es, precisamente, una representación?. «Pienso que esa sonrisa se produjo precisamente para que yo pudiera verla así, inmóvil, como petrificada e inmutable. Por tanto, su objeto era representarme ante mí mismo como hombre feliz o, por lo menos, como hombre cuya desgracia no es tan total que le impida sonreír por un momento»[171]. El razonamiento continúa con una lógica aplastante. O la sonrisa es real o es una muestra de la capacidad de autoengaño. Pero si esa capacidad fuera total, el razonamiento anterior no había existido.

Martín-Santos, como Sartre, llegan a la conclusión apologal que el autoengaño nunca es total, que, en el fondo, la conciencia del engaño roe las entrañas de aquel que intenta

171 AP, p. 58.

cerrar los ojos a la única verdad: la investigación fenomenológica del propio ser y el de los otros.

AP-XXI: ensoberdecimiento *(Introspección e inducción hacia el otro)*

Martín-Santos recupera el *Gnosce te ipsum* del frontispicio
de Delfos y lo transciende en el reconocimiento-conoci-
miento del otro. Esta capacidad de transcender el conocimiento introspectivo falsamente le ensoberbece: «A veces
me siento ensoberbecido. Poseo una mirada tan exacta y
penetrante que los últimos recovecos de la naturaleza
humana se me hacen transparentes»[172].

Martín-Santos llega así a la conclusión borgiana de que
Un hombre es todos los hombres.

AP-XXII: mulata *(El hombre existe ante de poder ser definido bajo nin-gún concepto. La existencia precede a la esencia)*

Sólo superficialmente este apólogo entre en contradicción con los dos anteriores. La mulata está satisfecha de serlo
porque «le agrada no poder ser estrictamente definida y no
poder ser, pues, clasificada en ningún género conocido de lo
humano»[173].

Como en el caso de *Niña paseando por el monte*, el hombre
reivindica su libertad y se niega a ser nombrado, definido y
categorizado. Jane Morrison dedica a *Mulata* un párrafo
extraordinariamente certero.

«*"Mulata"*, for example, is an explicit statement of defiance
provoked by the scientist's propensity to name, define and
categorize»[174].

---

172 *Ibid.*, p. 59.
173 *Ibid.*, p. 60.
174 J. Morrisson, *op. cit.*, p. 104.

AP-XXIII: **el ascensor** *(Un apólogo que se resiste a la interpretación)*
Hemos aquí ante el más críptico de los apólogos. Un caballero entra en el ascensor de un gran edificio de negocios. Lleva una gran cartera y parece llevar prisa. Pero, sorprendentemente, y aunque el ascensor ha ido subiendo hasta el piso más alto, «el caballero, con un signo condescendiente de su cabeza, indica (al ascensorista) su propósito de permanecer en el interior del ascensor»[175].

El apólogo se resiste a la interpretación. Sólo se nos ocurre que el ascensor es una metáfora de la vida y que el caballero —el hombre, como cualquier otro ser— se resiste a abandonarla. Martín-Santos, en este caso, aceptaría la propuesta de Spinoza de que la esencia del ser es su inmanencia, su permanecer.

AP-XXIV: **la exploración del llano estancado** *(O la imposibilidad de acotar el infinito)*
Es en este relato donde aparece por primera vez la palabra apólogo, que volverá a definir de nuevo al XXVII, *Comprensión*.

Jane Morisson le dedica un párrafo: «Like the explorers of the *Llano estancado*, The vain are sacrificed on the pyre of their own pride. Of course, too much self-satisfaction of the kind implied will undermine the precarious basis of the salvation of those who have resisted temptation until now»[176].

En el apólogo, los exploradores españoles en el Nuevo Continente, siguiendo la técnica de *Pulgarcito*, van sembrando de estacas el terreno para no perderse. Esta sabia precaución les resulta fatal, pues permite a los indios antropófagos seguir su pista y «obtener la debida satisfacción de sus deseos»[177].

---

175 AP, p. 61.
176 J. Morrisson, *op. cit.*, p. 106.
177 AP, p. 62.

El apólogo es tanto el planteamiento de la imposibilidad de acotar el infinito, como una llamada a combatir la mediocridad.

AP-XXV: experiencias de óptica (*La ciencia como inutilidad destructiva*)

Con toda minuciosidad Martín-Santos nos describe un experimento de Física recreativa tan estúpido como destructivo. Consigue un rayo de sol que cae desde un orificio en la opacidad de la ventana sobre una mesa de caoba. Tras destrozarla con un berbiquí, el rayo incide sobre un frasco de agua coloreada arrancándola bellas irisaciones. Como era de esperar, el movimiento terrestre desplaza el rayo, pero el observardor desplaza el mueble y logra que el experimento sea repetible, condición *sine qua non* de todo experimento científico.

La ciencia se muestra, una vez más, como inútil y, en este caso, destructiva.

AP-XXVI: fundación de un club (*Las relaciones intersubjetivas de carácter gregario no sirven en absoluto como factor de identificación personal*)

Ni raza, ni nación, ni religión, ni afinidad política sirven para identificar a los hombres. La falsa identificación surge cuando la capacidad de incorporación al grupo es negada a los otros.

Lo que diferencia al católico-romano es la existencia de otros que no aceptan la autoridad papal. Lo que identifica a una raza o a una etnia es la negativa a mezclarse con los otros. Esta negativa conlleva una petición de principio: una pretendida supremacía. Esta posición es claramente de mala fe. El que afirma esa pretendida supremacía es un farsante que sabe por activa y por pasiva, en la teoría y en la práctica que tal superioridad no existe. La luz del entendimiento nos hace ser —en este caso— muy comedidos y no poner ejemplos.

AP-XXVII: comprensión *(Todos los actos, absolutamente todos, y los de todos los hombres son, también absolutamente, gratuitos)*

Este apólogo está planteado en unos términos de claridad meridiana.

Ella va a abandonarle. Sabe que su marcha será fatal para él, que el seductor es despreciable y que no la quiere. Que va a hacerla absolutamente infeliz, que arruinará su vida. Para colmo, ni le ama, ni le atrae. Entonces, ¿por qué se va?

«Porque —a pesar de todo— ha(bía) decidido hacerlo»[178].

Martín-Santos golpea de nuevo. El apólogo, así nos dice en una nota final y repite por segunda vez la denominación, no es una excepción: es la regla general. Todos los actos humanos carecen de justificación (las razones son *a posteriori*). En la medida que libres son, absolutamente, gratuitos.

Jane Morrison nos llama la atención sobre el autoritarismo de esta advertencia[179]. Esta vez, cosa que sucede en algunos otros apólogos no muy frecuentemente, Martín-Santos no deja al lector a su libre albedrío interpretativo. Impone el sentido de su narración de forma tajante.

AP-XXVIII: el viejo luchador concluye sus días *(El aburrimiento como constante vital. La vida como prolongación innecesaria)*

Una lectura superficial de este «relato» nos lo muestra como menor y ayuno de interés. Pero cabe una mínima profundización. Martín-Santos sustituye la náusea sartreana por el tedio. Es obvio que cualquiera otra sensación, el temor

178 *Ibid.*, p. 67
179 J. Morrison, *op. cit.*, p. 103.

heidegeriano, el miedo, el vértigo, etc., pueden ser objeto de análisis. Pero el tedio remite al deseo de que un proceso ya sin sentido concluya. Aburrirse de la vida es la antesala del suicidio.

Hay una autocomplacencia en esa autodestrucción en el tedio. Una sola frase da la clave del apólogo. «En lo que se equivocan es en suponer que yo no prefiera el aburrimiento a toda otra sensación»[180].

No es extraño que Martín-Santos que estudió en profundidad las psicosis alcohólicas concluya el relato haciendo que su protagonista haga naufragar el tedio en el alcohol.

AP-XXIX: boomerang (*De nuevo el estudio científico como inutilidad, como superabundancia vacía. Oposición entre realidad y ciencia*)

Jane Morrison dedica a este apólogo un párrafo muy largo al final de su artículo. Incluso lo relaciona con dialéctica, totalización y concienciación[181].

«Perhaps *Boomerang* is the most instructive as well as the most positive of the apólogos in confronting the limitations of man's powers to comprehend meaning and being and the contradictions that are revealed through the vain pursuit of total understanding. This apólogo summarizes the author's views on experience and understanding. Two people confront an object. One, the scientist, tries to understand it; one, the aborigine, makes it work. Neither approach is to be *rejected*. The author suggests a dialectic resolution. "La dialéctica exige —como tantas veces se repite— un abandono del positivismo y de la antigua lógica. Pero renunciar al positivismo y a la elemental lógica del sentido común, no significa resignarse al absurdo ni a la no-comprobación"».

---

180 AP, p. 68.
181 J. Morrison, *op. cit.*, p. 107.

Una vez más, Martín-Santos utiliza sarcásticamente la terminología científica. Al hacer una exhaustiva e intencionalmente pedante enumeración de los factores que intervienen en las propiedades del boomerang introduce alguno que está fuera de lugar: el nombre latino de los árboles de donde procede la madera.

En la medida en que el fenómeno —y sus apariciones a las que ontológicamente se reduce— son infinitos, la ciencia sólo puede ser una aproximación. Por otra parte, Martín-Santos encuentra ridícula, y probablemente lo es, la magnificación en el estudio científico de naderías o fenómenos irrelevantes. Salvo que en este caso no acierta: un estudio detallado de la trayectoria, velocidad, etc. de un booomerang no es en modo alguno irrelevante desde el punto de vista de la mecánica de fluidos.

AP-XXX: misterios del perfeccionamiento humano
(Nuevamente, nada puede prevenir lo inesperable en un ser humano. Frente a la libertad, lo único es la estadística)

Aconsejada por su confesor, una muchacha intenta disimular sus encantos mediante el desaliño en el vestir y el uso de ropa que los disimula. Son, precisamente, estos aspectos los que excitan la lascivia de «un ser incierto, cuyo sexo no pudo ser claramente determinado»[182]. Esto demuestra algo reiteradamente repetido en Apólogos: que el ser humano es imprevisible. En este caso, la excitación de la libido, aunque es un producto social, mantiene unas capacidades individuales que, si bien son inesperadas, individualmente consideradas, encuentran su canon en el cálculo estadístico y en el simple juego de las posibilidades.

---

182 AP, p. 70.

AP-XXXI: prosas profanas (*El erotismo como constructo individual. Cada cual estructura su propia libido*)

Martín-Santos nos propone en este poco interesante apólogo las diferencias eróticas de cuatro mujeres.

La primera construye su erotismo sobre el recuerdo. La idea fija visualizada de un hombre que, presumiblemente fue quien la inició en el amor.

La segunda cambia la imagen visual por la olfativa.

La tercera encuentra su razón erótica en ser aplastada por el peso de su amante, posee una libido que pudiéramos denominar ponderal.

La cuarta ha sustituido el sexo por su sublimación: el amor a los pájaros.

Fiel al principio psiquiátrico de acomodar el placer a la realidad y a los planteamientos de la escuela sexológica americana de los sesenta, Martín-Santos nos indica, de forma nada original, que cada cual es el arquitecto de su sexualidad.

AP-XXXII: un caso de vocación (*No cabe establecer el orden. La única forma de ejercer la autoridad es negarla*)

Martín-Santos nos propone en este último apólogo breve el sueño dorado de los niños de la postguerra y de los débiles mentales de todas las épocas: ordenar el tráfico; pero al revés.

El interés conceptual y literario del texto es muy escaso. Una vez más se nos recuerda la inutilidad de nuestros actos desde un punto de vista general. Podemos hacer propuestas morales, pero sería intolerable que pretendiéramos imponerlas como verdades a los demás.

9. Apólogos largos

Introducción
Tras los treinta y dos textos que Clotas denomina Apólogos Breves incluye en su edición cinco relatos que agrupa también bajo el lema de Apólogos. Dada la disimilitud entre ellos el calificativo de apólogos sólo puede ser aceptado parcialmente.

El primero, *Tauromaquia*, es muy diferente al resto. Su estructura y contenido es la de un relato corto convencional, si bien no busca, en este caso, un brillante o inesperado final, careciendo de intencionalidad (anti)apologal.

El segundo, *El muchacho del fusil de goma*, de incomprensible título, como más adelante veremos, es una parábola de reminiscencias tanto evangélicas como oníricas.

Negociaciones para la venta de un caballo nos remite, en este caso sí, a un planteamiento apologal que enlazaría tanto con *El condenado por desconfiado* como —y para dar alguna vez la razón a Clotas— con alguno de los relatos de Kafka.

Igualmente apologal es *Nuevos intentos de racionalización* como imposibilidad de aprender una realidad infinita.

Kafka, *La edificación de la muralla china*, Borges en su relato que narra como el mapa de un imperio —en escala 1:1— llegó a confundirse con el imperio, y el materialismo y la dialéctica de la historia se dan cita en este relato, en algún caso como influencias y en otros por simple coincidencia; y finalmente, *Misión nocturna*, un texto de no mayor longitud que alguno de los apólogos breves, expresa de forma muy críptica, a nuestro entender, el conocido planteamiento sartreano que define al hombre como una pasión inútil.

AP-XXXIII: tauromaquia *(Una disección de amor. La cosificación del «objeto» amoroso. No amamos un ser real, sino un constructo elaborado por nosotros)*

Comencemos señalando que aunque el editor afirme el carácter de «Prosas inéditas» y lo atribuya a la miscelánea de textos que componen el libro, esta afirmación no es cierta. *Tauromaquia* había sido publicada, en vida de su autor, el 6 de abril de 1963 en la revista *Triunfo* con ilustraciones del dibujante Herrero, habiendo obtenido el *Gran premio Triunfo* de narraciones 1962-63[183]. Nada de extraño hay en que el relato fuera premiado, tanto por la personalidad de su autor, tras el éxito de *Tiempo de silencio*, como por la indudable calidad del texto, a nuestro juicio, muy alta.

Salvo algunos pequeños detalles vulgares: el nombre del protagonista, el primer párrafo y el inicio del segundo, el resto es de una profundidad inesperada.

El torero se sabe amado por la bella extranjera. Ella *por necesidad*, lo ama. Porque ¿qué mujer podría no amar a un torero? Pero hay un sufrimiento oscuro. El diestro «no tenía plena seguridad de que aquel amor se refiera a él»[184].

Detengámonos un momento. Cuando hablamos de un torero estamos en una conjunción de *Thanatos* con *Eros* a la que es difícil sustraerse. Pero lo importante no es eso. Ese no tener la seguridad de que el amor que nos declaran se refiera realmente a nosotros es tan válido para el protagonista —Juan Reyes— como para cualquier ser humano, independientemente de su sexo y condición. Pero para dejar las cosas claras, Martín-Santos despeja todas nuestras dudas: «Juanito era lo que la extranjera veía en él... la dificultad que el amor tiene para establecerse y durar, cuando una de las dos personas no es para la otra sino un "objeto"»[185].

---

183 Luis Martín-Santos, «Tauromaquia», *Triunfo*, año XVIII, n° 44, 6 de abril de 1963, pp. 74-75.
184 AP, p. 75.
185 *Ibid.*, p. 75.

El *ser* amado se nos presenta así, no como *ser*, sino como *objeto* de amor.

Esta cosificación del (ser) amado es desmenuzada por Martín-Santos con la minuciosidad implacable del analista que prepara una muestra sólida para su análisis.

Esta cosificación no es tan sólo una idealización —como luego veremos— sino la simplificación de un objeto complejo (fenomenológicamente hablando, cualquier sujeto lo es).

«Él "objeto de arte" que era el torero... para Nora era realmente un objeto complejo»[186].

«No *admiraba* ella en él —no *amaba* ella en él— solamente *cualidades físicas*... sino también *cualidades espirituales*, coraje ante el peligro, decisión rápida, posibilidad continua de desprecio hacia la hembra»[187].

De un plumazo Martín-Santos fija los pilares sobre los que Nora —la amante del torero— eleva el constructo de su amor: belleza y solidez físicas —deseo casual, admiración hacia aquello que no se posee, capacidad artística, valor, decisión y, un aspecto singular rituado en la base de todo don juanismo. Nora ama a aquel que desprecia a todas las mujeres —don Juan— porque el hecho de obtener su amor la sitúa por encima del resto de sus compañeras de sexo, la convierte en hembra triunfante (ni que decir tiene que invirtiendo los sexos el efecto es el mismo). El burlador ya se encargará de desengañarla, aunque en este relato no se plantea.

Una nueva duda agita al torero: «Oye, ¿a ti te gusta verme torear? ¿Tú qué sientes cuando yo toreo»[188]. La pregunta no es supérflua. Nora puede sentir muchas cosas. Amor, miedo, temor y, lo que es más grave, placer. El peli-

---

186 *Ibid.*, p. 76.
187 *Ibid.* Los subrayados son nuestros.
188 *Ibid.*, p. 79.

gro puede hacerla estremecer, y no precisamente de miedo. «Tú, cuando yo toreo, tú, perra...»[189]. Juan Reyes ha intuido, certeramente, que tras la admiración, tras el amor de Nora hay, como en el resto de los espectadores, un deseo oculto de muerte, de ver llegar la muerte. Y la abofetea. Luego reacciona. Comprende el racionamiento anterior, el sentido profundo y metafísico del toreo —y de cualquier otro espectáculo de riesgo— la visión del *ser-para-la-muerte*, la muerte del otro como conjuración espectacular de la muerte propia. «A mí me da lo mismo que vayas o que no vayas» «Estoy acostumbrado a que miren»[190]. A que me miren en peligro de muerte. A que me miren para verme morir. Imagina la cornada (Analizaremos más tarde la relación hombre-toro, espléndidamente estudiada) y como había intuido comprueba antes de cerrar los ojos para siempre que el desmayo de la extranjera es idéntico al de la voluptuosidad.

Pero ni la bofetada ni ese ansia wildeana de «matar aquello que más se ama» son óbice para el amor. Caen uno en brazos del otro. Sus mutuas singularidades triunfan. El exotismo de ella, y el conjunto de atributos de él, pero, básicamente, su superación del terror a la muerte.

Hemos dejado para el final los planteamientos que pudiéramos denominar taurinos. Martín-Santos cala en este caso el sentido profundo de la relación hombre-toro, basada fundamentalmente en el mutuo miedo. «Él "objeto de arte" que el torero (sería impropio llamar artistas a seres de los que la esencia estética se resume en un cierto sobresalto muscular armonioso, en una cierta capacidad para transformar en elegancia los reflejos del miedo)...»[191] Ese miedo va a con-

---

189 *Ibid.*
190 *Ibid.*, p. 80.
191 *Ibid.*, p. 76.

cluir con la muerte de uno de los oponentes. Porque —desde el siglo XVIII, cuando comienza el toreo a pie— la corrida no es otra cosa que un duelo a muerte. Que casi siempre el muerto sea el toro, e incluso que el torero abandone "el campo del honor" a la "primera sangre" no invalida la definición. Un duelo requiere de armas iguales en ambos contendientes y de hecho lo son. El toro tiene dos puñales acerados en su testuz. El hombre un estoque (la espada no es otra cosa que la prolongación del brazo) y una segunda arma igualmente ofensivo-defensiva, un simple trapo rojo, prolongación de su inteligencia. Jugará con su oponente, como el espadachín con el novato, esperando el momento de tirarse a fondo. Ese momento, el de la estocada, es la culminación del duelo. Pero oigamos a Martín-Santos: «Es una cuestión de cálculo preciso. La ingle del torero se coloca justamente en el milímetro "X", allí donde el espacio virtual de las trayectorias coinciden. Insto en el momento de matar. Es lo armonioso. Allí donde *se ha hecho coger* los grandes. En el sitio y en el instante justo. Dando una entera que basta. Recibiendo. *Si la suerte ha sido perfectamente realizada* se consigue el efecto buscado: Que la gran oración del público, que el triunfo sonoro que se inicia quede cortado en seco, por el grito del terror. Se logra así un vacío de silencio total»[192].

Hemos subrayado parte del texto para señalar una manifestación más de la idea de suicidio tan presente en la obra de Martín-Santos. Pero, al margen de ese planteamiento personal, lo cierto es que hay una estocada. Él es el primer sorprendido de haber salido incólume del embroque. Difícil encontrar una mejor descripción que en este excelente relato de Luis Martín-Santos.

192 *Ibid.*, p. 80.

AP-XXXIV: el muchacho del fusil de goma *(Un relato onírico de resonancias evangélicas. Un esperar a Godot, que nunca llegar. Una contemplación de la «muerte de Dios»)*

A menos que Martín-Santos buscara un efecto similar al de Eugene Ionesco en *La cantante calva*, el título es incomprensible. No es un fusil sino una chaqueta de goma (de hule) lo que caracteriza al muchacho. La explicación más simple es que el título se puso antes de escribir el texto y luego no se corrigió.

Empecemos señalando que la descripción es la de un sueño. El ambiente y los personajes son absurdos y fantasmagóricos. Súbitamente, el narrador-protagonista se ve envuelto en ese ambiente y dos cuestiones llaman su atención: un muchacho con una chaqueta de hule corta y estrecha y una manifestación de hombres sombríos que llevan pancartas con letras fosforescentes y escritas en una lengua desconocida. Canturrean.

El muchacho y el narrador dialogan sin sentido.

La muchedumbre llega frente a un edificio iluminado. En el balcón central un hombre gesticula. El coro calla. Oyen la voz del hombre del balcón:

«—y no me habíais conocido...»[193]

La frase tiene resonancias evangélicas tanto en boca de Cristo como de Juan el Bautista.

La frase del orador se repite, sin añadir nada más. Una y otra vez.

El muchacho dice que el hombre se ha vuelto loco. Hay que hacer algo.

El orador agrega:

—¡... Aunque yo he estado tanto tiempo entre vosotros![194]

---

193 *Ibid.*, p. 86.
194 *Ibid.*

De nuevo el referente evangélico es inequívoco.

Los subordinados del orador desconectan los micrófonos, precisamente cuando parece que va a revelarnos su secreto.

La multitud hace tiempo que ha dejado de aplaudir. El orador se retira. El muchacho llora. El narrador pregunta:

—¿Qué cree usted que iba de decirles?

—Iba a decirles... ¿Pero, no lo ha adivinado?

—No.

—Iba a decirles que no hay salida"

—Ah..., ¿ellos creían?

—Sí, ellos creían y siguen creyendo todavía..."[195]

Ese esperar algo que nunca llega nos remite a la espera infructuosa de *Esperando a Godot* o, lo que es lo mismo, a la muerte de Dios el tema clave en la literatura existencial y en el teatro del absurdo.

Dios ha muerto, aunque mejor sería decir que acaba de morir. El muchacho se desprende de su chaqueta de hule —de sus ataduras religiosos y morales; de sus esperanzas—y la arroja a una hoguera. Luego desaparece para seguir desarrollando la pasión inútil de su libertad.

AP-XXXV: negociaciones para la venta de un caballo *(La idea obsesiva como prejuicio insuperable)*

En un relato con resonancias tanto clásicas —*El condenado por desconfiado*— como kafkianas —*Una confusión cotidiana*—, Martín-Santos nos propone en este relato la imposibilidad de superar una idea obsesiva.

Un paisano quiere comprar un caballo y para ello se traslada a una localidad cercana. Tiene un gran temor a ser engañado. Las amabilidades del tratante son recibidas con recelo, aunque poco a poco el comprador va sintiéndose feliz. Come, bebe y se complace en la belleza de una artista de cabaret. Luego, el tratante le lleva hasta las cuadras. Hay allí un caballo magnífico. El que él hubiera deseado comprar. El tratante le sorprende: se lo regala. El comprado, temiendo ser engañado, huye despavorido.

La estructura de fábula es aquí absoluta. Hubiera sido suficiente un mínimo acto de voluntad, un mínimo raciocinio para conseguir un final feliz. Pero la desconfianza pueblerina del comprador lo hace imposible. Martín-Santos ejemplifica aquí la facticidad de una idea obsesiva, el dejarse llevar por ella. El paisano *elige* el error. Mentalmente le es más cómodo cabalgar sobre su facticidad que desmontar y pisar terreno firme. Obviamente, la vida de todos los hombres está llena de este tipo de *errores*.

AP-XXXVI: nuevos intentos de racionalización *(La imposibilidad de aprensión del infinito. El perfeccionismo cientifista como irracionalidad)*

Al comentar inicialmente los apólogos largos señalamos dos posibles influencias – coincidencias literarias. De Kafka, *La edificación de la muralla China*, de Borges el conjunto de sus relatos que abordan el tema del infinito y, muy en concreto, aquel en el que tratando de obtener un mapa cada vez más preciso de un imperio, al llegar a la escala 1:1 mapa e imperio se confundes, son uno solo.

Hemos hablado de influencias-coincidencias en la medida en que optar por una u otra opción resulta difícil. Desconocemos si Martín-Santos era un lector de Borges, cuyo auge en España se inicia a principios de los sesenta. Es mucho más presumible que la obra de Kafka si estuviera entre sus lecturas.

Con el fin de asegurar su fortuna, Juan C. intenta el cálculo de un coeficiente que resultaría de dividir sus inversiones en bienes de producción por su capital dinerario (oro, divisas, etc.). Descubre que ese coeficiente está en relación directa con lo que denomina *gradiente de energía histórica*. Este planteamiento deja fuera de contexto decisiones de tipo cualitativo en las que Juan C. se guía no por criterio «científicos» sino por pura intención: venta de acciones y bienes inmuebles, conversión de líquido disponible en bienes raíces o de producción, etc.

Obsesionado por la determinación del coeficiente procede a la obtención del mayor número posible de datos fidedignos. Juan C. descubre anticipadamente el valor de la globalización y «efecto mariposa». Recoger millones de datos y analizarlos requiere un esfuerzo titánico. Moviliza para ello a un gran número de empleados y evaluadores. Vuelca la información en fichas perforadas (el antiguo sistema informático de grandes computadoras IBM). Pero todo es insuficiente. Compra grandes extensiones de terrenos yermos para extender sus instalaciones.

Esta obsesión del personaje es, obviamente, visible. No sólo la hipótesis de trabajo es falsa, sino que incluso la metodología carece de criterio, expresión científica aplicada al que intenta obtener medidas con un aparato con una exactitud que supere su margen de error. De nuevo la ciencia es puesta en entredicho y también la pseudociencia política, esa explicación dialéctico-materialista de la historia apoyada en la exégesis marxista-lenilista tan querida por el estalinismo y presentada en las fechas en que el apólogo fue escrito como una verdad absoluta.

AP-XXXVII: misión nocturna

Este apólogo cierra la serie de los denominados «largos»

y de todo el conjunto. Su extensión no es mayor que muchos de los breves.

No puede decirse que el final sea excepcionalmente feliz.

Tres soldados avanzan en una misión nocturna, en tiempo de paz. Contradiciendo lo anterior, lo hacen con las precauciones de una acción bélica. Avanzan con dificultad creciente, en silencio. Mientras crece su fatiga. Hasta el propio narrador nos dice que la expedición carece de sentido.

El que va en cabeza se para junto a un gran árbol.

«—Aquí es —dice con voz apagada»[196].

Saca de su pecho un objeto fosforescente que el segundo soldado le reclama.

«Pero el tercero se lo impide:

—No lo toques —aconseja—. Al fin y al cabo es obra suya»[197].

Esa marcha sin objetivo, esa llegada a un final absurdo pero previsto, ese extraer del pecho algo que no puede ser compartido con los otros, que no es algo que nos sea independiente, sino obra exclusivamente nuestra no puede ser otra cosa que una metáfora de la vida. De una pasión inútil. Esa visión sartreana tan presente en la obre de Martín-Santos cierra, por obra y gracia de un editor no excesivamente reflexivo, el conjunto de los Apólogos. Es seguro que Martín-Santos hubiera deseado un final infinitamente más brillante.

---

196 AP, p. 99.
197 *Ibid.*

ÍNDICE

ABREVIATURAS   5

Introducción   7

Influencias y concepción de la filosofía
en Martín-Santos   9

La edición de «Apólogos»   19

APÓLOGOS.- ARTÍCULOS Y ENSAYOS   33

1. El complejo de Ramuncho, entre los vascos   33
2. La psiquiatría existencial   35
3. Dialéctica, totalización y concienciación   54
4. Textos literarios no «apologales».
   Prólogo a *Tiempo de destrucción*   58
5. Elea o el mar   68
6. Condenada belleza del mundo.
   ¿El apólogo que faltaba?   73
7. Apólogos propiamente dichos. Introducción   78
8. Apólogos breves   85
9. Apólogos largos   112